著者：ジャン＝マルク・ジャンコヴィシ ＆ クリストフ・ブラン

だれも　教えてくれなかった

エネルギー問題と気候変動の
本当の話

河出書房新社

日本語版監訳：古舘恒介　訳者：芹澤恵 ＆ 高里ひろ

Le Monde sans fin, miracle énergétique et dérive climatique
by Jean-Marc Jancovici & Christophe Blain
© DARGAUD 2021, by Blain & Jancovici
www.dargaud.com
All rights reserved
Japanese translation rights arranged with Mediatoon Licensing, Paris through Tuttle-Mori Agency, Inc., Tokyo

日本語版刊行によせて

　皆さんは「エネルギー問題」と聞いて、何を思い浮かべますか。ロシアによるウクライナ侵攻が改めて浮き彫りにした、エネルギーの安定的確保をめぐる安全保障の問題でしょうか。東日本大震災での福島の原発事故を経験しての、原子力発電の安全性をめぐる議論でしょうか。二酸化炭素に代表される温室効果ガスの影響からくる気候変動の問題でしょうか。それとも、生活に直結する身近な問題としての、電気料金やガソリン価格高騰の問題でしょうか。

　それぞれの問題には、さまざまな角度からこれぞ正義だと主張する意見が出されていて、そのどれもがもっともなことのように聞こえます。およそ正反対ともいえる立場から出される意見が、それぞれに正義であるとしてぶつかり合っていることも少なくありません。このことは、エネルギー問題にまつわる多くの議論が、自分の見たい立ち位置から物事を捉えて結論を出す、いわゆる部分最適の議論に陥っていることを示しています。なぜ、そのようなことが起こるのでしょうか。

　それは、エネルギー問題とは私たちの暮らしそのものが生み出す極めて大きな問題であるからです。つまりは、複雑に絡み合った社会システム全体の設計をめぐる問題なのです。現代社会に生きる私たちは、大量のエネルギーを消費することで成り立っている社会に暮らしています。何事も大規模に使えば環境への負荷が大きくなり、結果として、すべてのエネルギー源がなにかしらの問題を抱えることになります。本書は、現代社会の成り立ちをエネルギーの視点で紐解いていくことで、

こうした問題の本質に鋭く迫る内容となっています。

　なお本書では、原子力は十分に制御可能で、迫りくる気候変動の危機を乗り切るための重要なエネルギー源であるとしています。このことは福島第一原発事故を経験した私たち日本人にとっては、にわかには受け入れがたいことかもしれません。しかしながら、本書をお読みいただければ、原子力の利点とリスクについては、もう少し冷静な議論が必要であることがおわかりいただけるでしょう。

　昨今、深刻さを増しつつある気候変動の問題から脱炭素を目指す動きが活発になっていますが、私たちが目指すべきミッションは数字合わせとしてのカーボンニュートラルではありません。地球という限られた場所で、80億人を超える人々がいさかいなく平和に暮らすことができる環境をいかに作り、次の世代へとバトンをつないでいけるか。それがミッションです。こうした大きな問いへの答えを、私たちはそれぞれに自分事として見つけていかなければなりません。

　エネルギー問題について大局的な視点に立って書かれたこの本がフランスで50万部を超えるベストセラーになった事実に、同じく俯瞰的な視点で問題を研究し本を上梓した経験を持つ私は大いに勇気づけられます。真に世の中を変えるのは、卓越したリーダーではなく、私たちひとりひとりの地道な行動の積み重ねです。本書がひろく日本の皆さんにも親しまれることで、ひとりひとりが問題に正対し、それぞれに歩みを進めるための何かしらのきっかけになれば幸いです。

古舘恒介（エネルギー問題研究者）

＊本書は"Le monde sans fin, miracle énergétique et dérive climatique"の日本語翻訳版です。内容については原著者の見解に基づいています。

プロローグ

2018年8月、ぼくは恋人(こいびと)と休暇(きゅうか)でブルターニュ地方の海岸に行くところだった。

気温は25℃くらい。

パリは熱波でものすごく暑いみたい

大変！ この記事によると、2050年にはパリとフランス東部の気温が50℃まで上昇するって

それはIPCC（気候変動に関する政府間パネル）*の元メンバー、古気候学者ジャン・ジュゼルへのインタビュー記事だった。

2018年はそれほど昔ではない。
だが大手メディアで熱波と地球温暖化の関係が報じられるようになったのは、
この年からだった。

2050年には50℃

でも30年後に一気に上がるわけじゃない

2040年は？

2030年は？

2020年は？

もうすぐだ！

「地球温暖化」という言葉は知っていたが、まだ先の問題だと目をそむけてきた。
でも、いよいよ現実味が出てきた。

＊地球温暖化について科学的な研究の検討・分析等を行なう政府間組織。

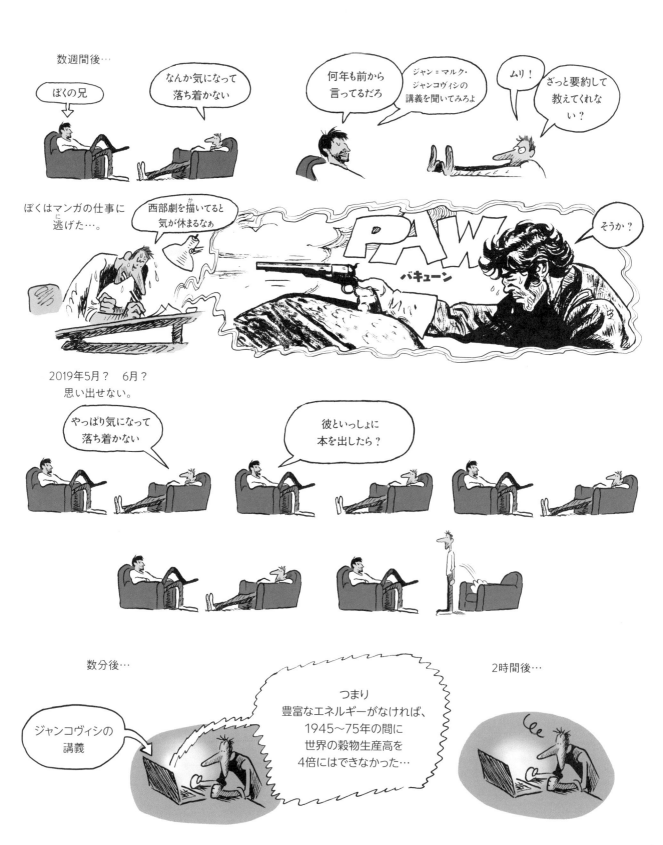

そのすぐ後…

拝啓…

いや、違う

こんにちは。
うーん

えー…
ジャンコヴィシ
さんへ

えっと…ぜひお会いしたく…
なぜかというと…あー

ズバッと
たのんでみろ！

彼はお高くとまった人
じゃないと思うぞ

翌日…

やった！

会ってくれるって！

約束の日は、
焼けつくような暑さだった。
ぼくは遅刻してしまった…

待ち合わせのカフェには、
ぼくのマンガ『海賊アイザック』で描いたような
赤いベルベットのカーテンが下がっていた。
なんだかあやしくて、気まずかった。

こんにちは！

おくれて
すみません！

えっと

この辺りで、
静かでエアコンがある
カフェはここだけで

二酸化炭素（CO_2）の
排出量はすごい
かもしれないけど、
少なくとも…すずしいでしょ？
ハハハ…

仕事をしながら待って
いたから、気にしないで

ジャン＝マルク・ジャンコヴィシって、
いったいだれだって？

ぼくはけっこうくわしいよ…

このプロローグを書いて
いるということは

本が完成したわけで

2年間ずっといっしょに
仕事をしたからね

話し始める時の口ぐせ
「言いかえると」
複雑で専門的な説明をした後、すぐに簡潔でわかりやすい言葉にしてくれる

前進あるのみ。無限の行動力

エコール・ポリテクニーク
（理工科学校）卒

しぶいカウボーイみたいな細い目。うかつに手を出せないふんいき

いたずら好きな子どもみたいで、笑う時は陽気に大笑いする

「ちなみに」
〈余談のように聞こえるかもしれないが、実はここに重要な情報がある〉という意味

「断言はできないが」
〈いいか、ぼくらは崖っぷちにいるんだ〉の控えめな言い方

エッセイスト

ものすごいアスリート

「他のすべての条件が同じなら」
これは…ぼくはよくわからなかった

脱炭素経済への移行を提唱するフランスのシンクタンク＊「シフトプロジェクト」の創設者

「言いかえると」
なぁ、〈省エネ〉って言葉を聞いたことあるかい？

つかれしらずの活動家

科学知識を広める人

ミンヌ・パリテック
（パリ国立高等鉱業学校）の准教授

ジョークを連発して聞き手の関心をそらさない

低炭素戦略と気候変動専門のコンサルタント会社〈カーボン4〉の共同創設者

ちょっと厳しいよね？

ズバッと言うよね
待ったなしの問題だから

みんなの目を覚まさせないとね！

「言いかえると」
どうやったら〈省エネ〉できるのか教えてくれ！
じゃあ始めようか

＊様々な分野の専門家を集めた研究機関で、調査・研究をもとに政策立案や課題解決の提言を行なう。

もともとは何を？

1986年、テレコム・パリ*を修了したぼくは、企業の紹介映像を作る会社を立ち上げようとしていた人に出会った。かれは俳優だった

最高学府で工学を修めた者にとって、映像製作の仕事は道ばたでする大道芸みたいだった。まったく収入にならない。友だちはみんな大企業に就職していた

ぼくは映像関連の分野に残って成功を目指した。でも結局、うまくいかなかった

1990年代半ば、コンサルタントとしてフランス・テレコムと仕事をした時、テレコミューティング（コンピュータを利用した在宅勤務）、eラーニングの開発についての論文を読んだ

…好きな場所でコンピュータを介して働くバーチャルワーク経済が発展すれば、〈温室効果ガス〉の削減につながる…

温室効果ガス？

なんだそれ？

そのころ、温室効果ガスはほとんど知られていなかった。

ぼくは調べ始めた…

温室効果ガスと地球温暖化

*フランスを代表する工学系の高等教育機関。

ぼくはそれまで、
何かに特別深く
興味を持ったことは
なかった

でも心を
奪われた

これだ！

これがぼくの
テーマだ

他のことは
どうでもいい

2000年代の初め、
ぼくはフランス環境
エネルギー管理庁のために
「CO₂排出・吸収量
（カーボン・インベントリ）」の
算定方法を開発した。

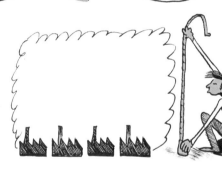

それは、企業の
温室効果ガス排出量を
算定する国際基準の
もとになっている。

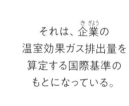

いろんな分野の
科学者も
巻きこんだよ。
古気候学者の
ジャン・ジュゼルも
その1人。
他にも
大気科学者や
海洋学者…

エコール・
ポリテクニークの
同窓生向けの冊子に
地球温暖化の
記事を連載した。

その後、
自分のウェブサイトを作って
2002年に初めての本
『気候の未来』を
出版した

ぼくは有名になった

今エネルギーを
じゃんじゃん使って、
後で痛い目に
あうか

それとも今から
節制するか

ジャーナリストで
環境活動家の
ニコラ・ユロに誘われて、
環境監視チームにも
加わるようになった

びっくりしたよ。
環境問題に
関心を持ってから
まだ日が浅かったからね。
チームには
2001年から2009年まで
参加した

2007年、
パートナーと
コンサルタント会社
〈カーボン4〉を
設立した

あなたが
温室効果ガス排出量を
算出する炭素会計の
しくみを作ったんだ！
すごい！
特許は取った？

まさか。
フランス環境エネルギー
管理庁のためにした仕事だから

金のためにしたことじゃない。
活用されること…
それが大事なんだ

現在の世界は、一つの所に人々が集まって暮らす
都市化が進んでいる

システムとしての都市は、
人やモノが出入りすることによって維持されている

その流れがどこか一つでも滞れば、
システムは壊れる。例えば人々が…

ウイルスのせいで移動しなくなっても

もう一つ、このシステムに流れこんで
それを支えている大事なものがある。それは…

きみの収入の3%でいい

概算で

収入の3%で
アイアンマンの魔法の青い光が
ぼくのものに？

青い光は
マーベルのアイアンマンだよ

きみが
そのスーツを着て
やったことは全部、
我々が日常的に
やっていることだよ

ただ、我々はふだんエネルギーを意識することはない。意識するのは請求書の数字だけだ

使ってない電気は
消しなさい

電気代が
かかるん
だから

ガソリンが
高すぎるよ

今年度のわが社の
光熱費はどうなっている？

その数字はいつでも「高すぎる」

フランスでは、
世帯支出の5〜7%を
ガソリン・灯油・軽油・天然ガス・
電気が占めている

だが世界的に見れば、アイアンマンの食べ物
つまり石炭・石油・天然ガス──の消費はGDP*の3%程度でしかない

電気は？

電気は自然界で採れるものじゃない。
電気は一次エネルギーから作られる

"一次"エネルギーは自然界から
取り出せるエネルギーだ

＊GDP（国内総生産）：1年間など、一定期間内に国内で産出された付加価値の総額で、国の経済活動状況を示す。

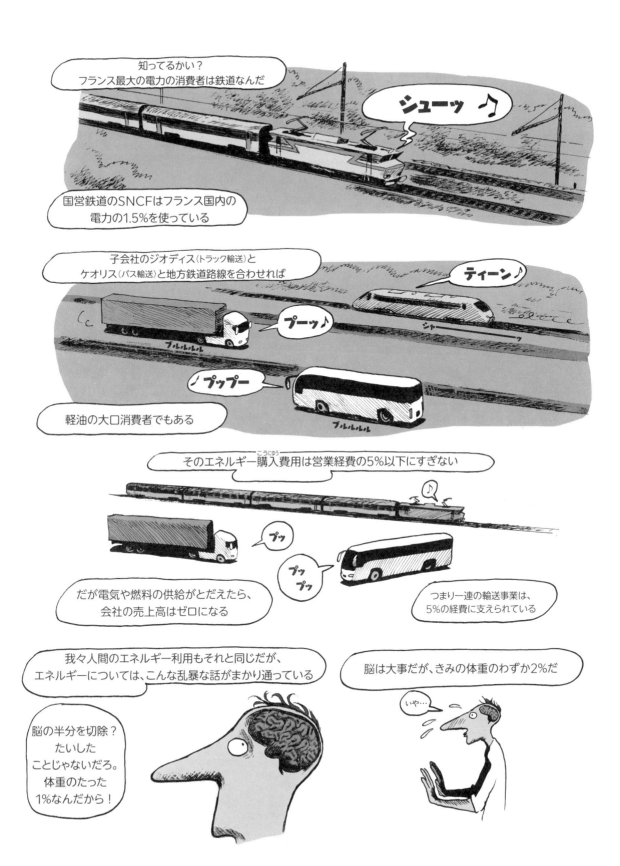

知ってるかい？
フランス最大の電力の消費者は鉄道なんだ

シューッ ♪

国営鉄道のSNCFはフランス国内の
電力の1.5%を使っている

子会社のジオディス（トラック輸送）と
ケオリス（バス輸送）と地方鉄道路線を合わせれば

ティーン♪

プーッ♪

♪プップー

軽油の大口消費者でもある

そのエネルギー購入費用は営業経費の5%以下にすぎない

プッ

プッ
プッ

だが電気や燃料の供給がとだえたら、
会社の売上高はゼロになる

つまり一連の輸送事業は、
5%の経費に支えられている

我々人間のエネルギー利用もそれと同じだが、
エネルギーについては、こんな乱暴な話がまかり通っている

脳は大事だが、きみの体重のわずか2%だ

脳の半分を切除？
たいした
ことじゃないだろ。
体重のたった
1%なんだから！

いや…

でもさ、
マーベルのアイアンマンなら、
青い光で汚染しない方法を
考え出すよね

再生可能
エネルギーで動く
パワードスーツを
作ったらどう？

300年前、すべてのエネルギーは
再生可能だった

帆船を動かす風力は100％再生可能だ

オェッ

だがやがて石炭、そして石油で動く船を使うようになった。
その方がH＆Mの服がはやく届くからな

うっぷ

人や役畜が担う陸路の輸送も
100％再生可能だった

ピー♪
ピー♪

だがフランス南西部からパリまで桃を運ぼうと
思ったら、ガソリンを使った方がずっと効率がいい

18

人力と役畜による農業も100％再生可能だった。
人はジャガイモと玉ねぎを食べて、
ちょっとくさい息をしていただけだ

だが毎食ステーキを食べようと思ったら、
100％化石燃料を利用しないと
間に合わない

人力にたよった土木工事も100％再生可能だった。
パリのノートルダム大聖堂は完成までに
100年かかったと言われている

化石燃料のおかげで、
今では1年で超高層ビルを建てることができる

産業用の動力も100％再生可能だった

でもそれではけっして、月額3000円で
スマホを使えるようにはならない

人間はこの200年間ずっと、再生可能な
自然エネルギーを化石燃料に替えてきたんだ

それは人間が
愚かだったから…
そうかもしれない

もしくは、
もっともな
理由が
あったからだ

でも…こういうのはどう？
ぼくは運動が大好きなんだけど、
昼間のうちに自転車のペダルをこいで
電気を作るんだ

映画
『ソイレント・グリーン』
みたいにか

チャールトン・
ヘストン

リチャード・フライシャー監督の1973年の映画。
当時にとって近未来の2022年の世界では、
人口が増えすぎて食料と資源が不足し、
温室効果ガスのせいでうだるように暑い。
ソル（エドワード・G・ロビンソン）は小さな部屋で
古い自転車をこぎ、少しばかりの
電気を作って明かりをつける。

E・G・ロビンソン

そう！
でももっと
うまくやるんだ

滑車や
はずみ車を
組みこんだしくみを
作って、ぼくの力を
何倍にもする

あはは！

ムリだよ

そもそも、きみは外から
エネルギーを取り入れなくちゃ
いけない。ランチで食べた
子牛のシチューがそれだ

エネルギーはきみの脚を
動かすのに使われる。
脚はそのエネルギーを
ペダルに伝える

きみの脚で作れるエネルギーはたかが知れている。
モーターの力を借りれば話は別だが…

つまり、外部の
エネルギー資源だ

でもいったんこぎ始めると、
車輪が軽くなるよ

きみのしくみを動かすのには
もっと時間とエネルギーが
必要になる。結局、しくみが
きみの脚力以上のエネルギーを
生み出すことはない

あー、もう！

ははは！
これが"エネルギー保存の法則"だ！
くたびれるだけって言ったろ！

技術者が研究を重ね
新しい変換器を発明したおかげで、
周囲の世界を変える能力がぐんと高まった

エネルギー

変換器

ガソリンは人間が
直接消費する
エネルギー資源
ではない

くんくん

ガソリンで
動くのは
機械だ

ここからは、
エネルギーを
消費するもの…

機械について
考えよう

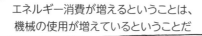

エネルギー消費が増えるということは、
機械の使用が増えているということだ

朝晩、
歯をみがくだろ？

それも化学工場のおかげだ。
ソルビトールという虫歯になりにくいフレーバーつきの
糖アルコールを作り、歯みがき粉をさわやかな味にしてくれる。

ソルビトールの原料を作る
でんぷん工場には、
トウモロコシをいっぱいのせた
貨物列車が毎日到着する

化学工場では何百種類もの化学製品を作り、
何千人もの従業員を雇用している。
フランス北部のでんぷん工場は、国内で最大手だ

チューブはプラスチックで
できているから…

また石油
プラットホームの
出番だ

石油精製工場

石油化学工場

ゴホッ、
ゴホッ！

もう
かんべん
して

プラスチックをチューブの形にする機械
だって必要だ

歯みがきは鏡の前でするよな

鏡は銅、銀、ガラスでできている

銀と銅を採掘して…

ガラス工場で加工して

輸送する

口をゆすぐ水は浄水システムを通っている

電話をかけるのか？

プラスチック

電波塔のための鉄

スマホには何十種類もの金属が使われている

ネットワークをつなぐ
ケーブルを設置する機械

他にも

まだ
あるの！

スマホができるまで、そして使う時も、
何千もの機械が必要だ

エネルギーと機械がなくなったら、
GDPの3％を失うだけじゃ
すまない

銀行も、水道も、交通機関も、病院も
やっていけなくなる

現代社会は完全に
エネルギーで動いているんだ

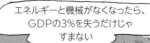

飢死や凍死する
人もでるだろうし、
殺し合いも
始まるかも
しれない

28

ふーむ…
ところで、エネルギーって、どう測るの？

正直言って〈kW（キロワット）〉もよくわからない

エネルギーの単位は〈J（ジュール）〉だ

1ジュールでおよそ100gの物体を1m持ち上げることができる

チョコバー1つを1m持ち上げるのが1ジュールのエネルギーってこと？

まあ、そういうことだ

1リットルのガソリンを燃やして得られるエネルギーは、およそ3600万ジュール

ゼロがいっぱいだね

だからkWh（キロワット時）という単位を使うことが多い

ゴォーッ
WOOOFF

1リットルのガソリンを燃焼させると10kWhのエネルギーが送り出される

熱エネルギーだ

ガソリン1リットルで、10kWのパワー（仕事率）を出力する機械を1時間動かせる

100W出力の機械なら100時間だ

例えば10kWの発電機

パワー（仕事率）とは、単位時間当たりのエネルギー使用量（仕事量）を表す

単位時間当たりの状態の変化量、出力のことだ。パワーが大きくなればなるほど、同じ仕事にかかる時間は少なくてすむ

パワーの大きなヒーターなら、部屋を温めるのにかかる時間は短くなる

パワーはkW

送り出される熱エネルギーはkWh

パワーの大きなエンジンを持つ車なら、すぐにスピードを上げられる

パワーはkW

送り出される運動エネルギーはkWh

機械が人力に比べて
どれほど強力か考えてみよう

10kgのバックパックを背負って
2000mの山に登ってみろ

頂上

ここまで登ってきて、
きみの脚がどれだけ仕事を
したと思う？

めっちゃした

いや、
してない

0.5kWh
（キロワット
時）だ

今度は穴を掘ってもらおう。15トン、
6㎡分の土を掘ってくれ

どう？

0.05kWhだ

労働者1人が1年間でする仕事は、
運動エネルギーにして10〜100kWhだ

だが1リットルの
ガソリンを使えば…

わずか180円で

燃やせば約10kWhの
熱エネルギーになるし

モーターを使えば、
3〜4kWhの運動
エネルギーになる

要するに、ガソリン1リットルで、
人間1人が何十日間もつらい肉体労働をするのと
同じ仕事ができる

ガソリンの価格は、
それがもたらす
利益を考えると、
びっくりするほど安い

きみが自分の筋力だけで最低賃金で働き、
10kgのバッグを2000m持ち上げたとする。
雇い主はきみに、1kWhあたり32,000円も
払うことになる

きみに穴を掘ってもらったら、
1kWhあたり320,000円だ

ガソリンで動く機械を使えば500分の1の費用で
荷物を2000mまで運んでくれるし

5000分の1の費用で
同じ穴を掘ることができる

“エネルギー保存の法則”がどんなものかわかっただろう？
人間は環境からエネルギー資源を
取り出すしかないんだ

うん！

エネルギーは形が変わっても
総量は変わらないことも…

わかった

結局、
グリーンエネルギー
なんてないんだ

そうなの?!

ピンクもなければ、
黒もない

もっと言えば、
エネルギーに
クリーンも
ダーティーも
ない

いずれも賛否両論ある
エネルギー資源の、
どれを選ぶかなんだ

大規模に使えば、
どれだってダーティーになる

どんな
エネルギーでも

クリーンエネルギーについて
考えてみよう。
ごく小規模で使えば、
短所は目立たない

ぼくって、
すごくクリーン

人1人が1年間に
石油10バレル*と
石炭1トンを使うくらいなら、
問題にならない

10バレルじゃ
足りないよ。
だれも見て
いないし

もうちょっとだけ

いいだろ？

エネルギー資源を選ぶということは、
その欠点を許容できるか、
許容できないかを
天びんにかけて決めるということだ

＊約1600リットル。1バレル＝約160リットル。

そもそも、
エネルギーは
すべてタダだ

だれかが言っているのを聞いたことが
あるだろう？　太陽はタダ。風はタダ

石油だってタダだぞ

石油そのものに
お金を払った人間はいない

だからそれを
使うべき
だって

うん、
たしかに！

太陽や風と同じように
タダだ

お金が
かかるのは、
幸運にも
石油を
掘りあてた
人間に
石油を売って
もらわなくちゃ
ならないからだ

採掘
作業を
する
労働者の
賃金も
必要だな

つまり
エネルギー
資源への
アクセス権と
人件費に
お金を払っている。
エネルギー資源
そのものはタダだ。
お金は人間に
わたっているだけ

私は母なる地球。はいこれ、請求書。
石油を作ってあげた
でしょう…

そんなことは起きない

支払いはエネルギー資源そのものではなく、取り出して活用するまでの作業や施設費、人件費に対して発生する。その価格は資源が豊富にあるのか、少ししかないのかには関係ない

豊富にあるからといって、かならずしも利用しやすいわけじゃない

例えば宇宙線は高エネルギーの放射線で、宇宙に豊富に存在するが、手の出しようがない

程度の差はあれ、太陽光エネルギーもそうだ。豊富にあるが、ソーラーパネルの設置に広大な敷地（しきち）が必要になるし、天気に左右されるから、強力な電力を必要とする機械を動かすことはむずかしい

大切なのは、その資源が凝縮（ぎょうしゅく）されていて、それへのアクセスが簡単なことだ

すみません、凝縮されたエネルギー資源で、取り出しやすい所にあるものを探しているんです

しかも使いやすいと、ありがたいのだけど

ありますとも。さあ！

石油っていうの

風が吹いている日なら…

風のない日は風車が止まって、電気はこない

明かりもつかないし、冷たいビールも飲めない

停電がいやなら、バッテリーなど蓄電の設備が必要だ

そうなると費用が3〜4倍になる

つまり、停電のない風力由来の電気代は21円/kWhかそれ以上になるだろう

石油由来ならなんと0.42円/kWh

石油由来の電力の電気代はどうだろう。石油はすでに貯蔵されている。砂漠で地中から掘り出した時点で貯蔵可能だから便利なものだ

空気のように拡散・低密度の資源から作る電気の値段は、サウジアラビアの油田から採れる石油由来の電気に比べて、50倍以上にもなる

しかも風力タービンを製造するためには、石油、石炭、ガスが必要だ

どっちが地球にやさしいかって？

勝負だ！

おい！

待てよ！

風さん、に逃げる気か？

ん？

化石燃料って友だちを忘れたのか？おれたちなしでやっていけると思ってんの？

*1 鉱石から金属を抽出したり、金属を加工したりすること。
*2 鉄筋コンクリート造の建築物において床の荷重を支える構造床のこと。

覚えているか？

10W（ワット）

100W

これが大昔の変換器（コンバーター）だ

それぞれ最大100W

100W

最大1kW（キロワット）

命には限りがあるし、効率もあまりよくないが、再生可能なエネルギーだ

一方、現代の変換器は…

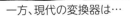

トラクター

60kW＝
人間の脚力
600人分
もしくは
荷車用役畜
数十頭分

建築機械

100kW＝
人間の腕力
1万人分

機械のおかげで農家の収穫高は数百倍になり、数年分の収入で家を建てられるようになった

400kW＝
人間の脚力
4000人分

10万kW＝
人間の脚力
100万人分

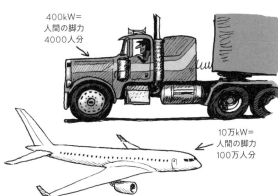

200年前には考えられないことだ

工場の圧延機

10万kW＝
人間の腕力
1000万人分

1000万人の人間が鉄をたたいてのばしているのと同じことだよ*

＊東京都の人口は、約1400万人。

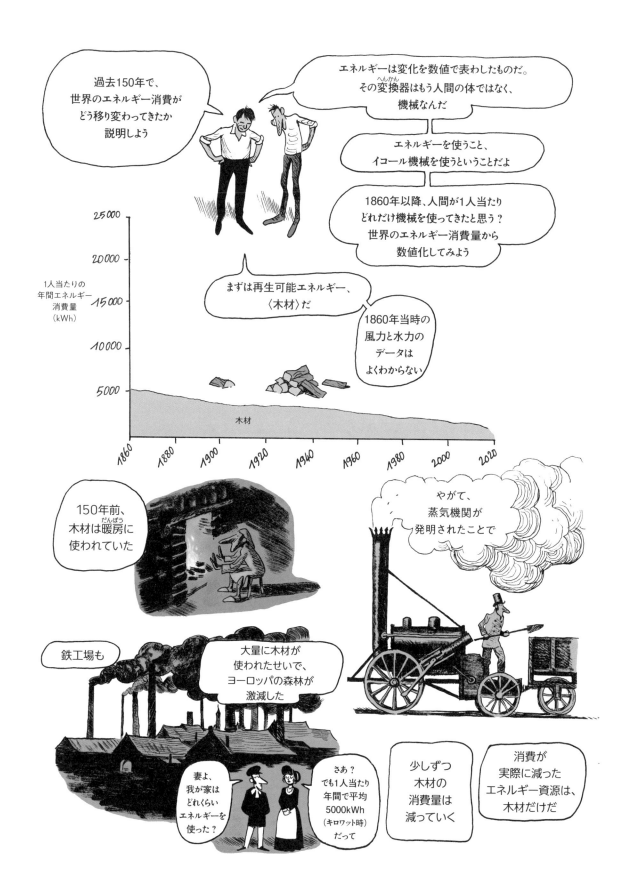

次は 石炭

1人当たりの
年間エネルギー
消費量
（kWh）

25000
20 000
15 000
10 000
5 000

石炭

木材

1860　1880　1900　1920　1940　1960　1980　2000　2020

木炭に替わり石炭が製鉄に使われるようになり、
蒸気機関も普及していく

蒸気機関を動かすには石炭が不可欠だった。
巨大な蒸気機関の代表格が発電所だ。
今では、石炭の3分の2が発電所で使われている。
10〜15％が冶金に、
残りは暖房や工場で使われている

自覚はないだろうが、
きみだって石炭を
たくさん使っている

石炭を大量に使っている
国から輸入された製品を
使っているからね

筆頭は中国

スマホが、
まさにそう

人は1年につき
およそ
5000kWh
相当の石炭を
使っている

石炭を
使い始めてから、
1人当たりの年間
石炭消費量が
減ったことはない

石炭はまだまだ現役の
エネルギー資源だ

だが石炭は1kWhあたり、
もっともCO₂を排出する
エネルギー資源でもある

おれはCO₂
温室効果ガスのほとんどが
おれだぜ

それが実現できると
言い切ることは、
ぼくにはできない

世界中の石炭
火力発電所の
発電量を足すと、
フランスの
原子力発電所の
発電量の
約40倍
にもなる

パリ協定の目標通りに
気温の上昇を2℃に
おさえて地球温暖化を
食いとめるには、2050年までに
石炭火力発電所の稼働を
完全に止めなくてはならない

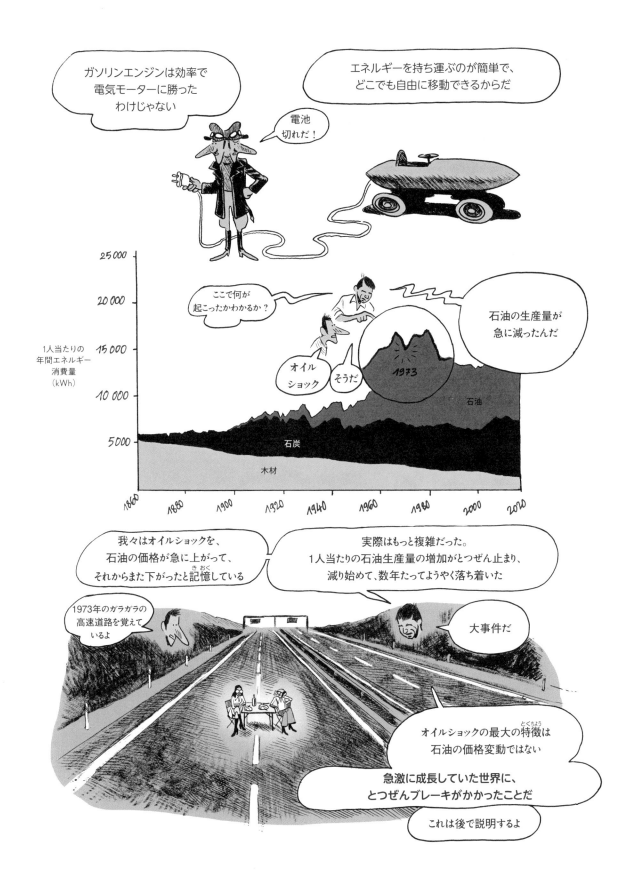

前ページの数字にもとづけば、
地球上の人間1人につき約200人の奴隷がいて、休みなく働いているのと
同じなんだ

ああ

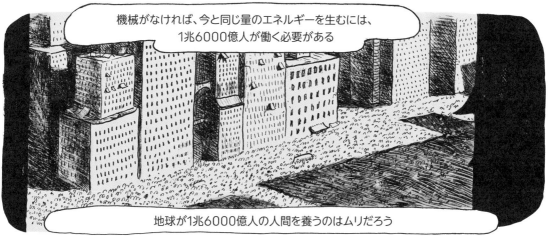

機械がなければ、今と同じ量のエネルギーを生むには、
1兆6000億人が働く必要がある

地球が1兆6000億人の人間を養うのはムリだろう

我々は強力な力を手に入れるために、
ホウレンソウの缶詰ではなく、石油をガブ飲みして超強力なパワードスーツを
身にまとった

くん
くん

石油

我々の代わりに
働く機械、あれが
パワードスーツだよ。
もともとの筋力の
200倍の力を
与えてくれるんだから

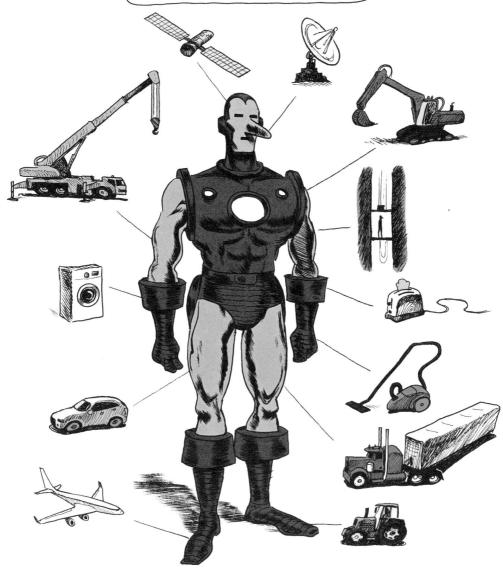

どんどん強化されるパワードスーツが、
我々を本物のアイアンマンにした

ぼくたちは毎日、
このスーツの一部を利用しながら生活している

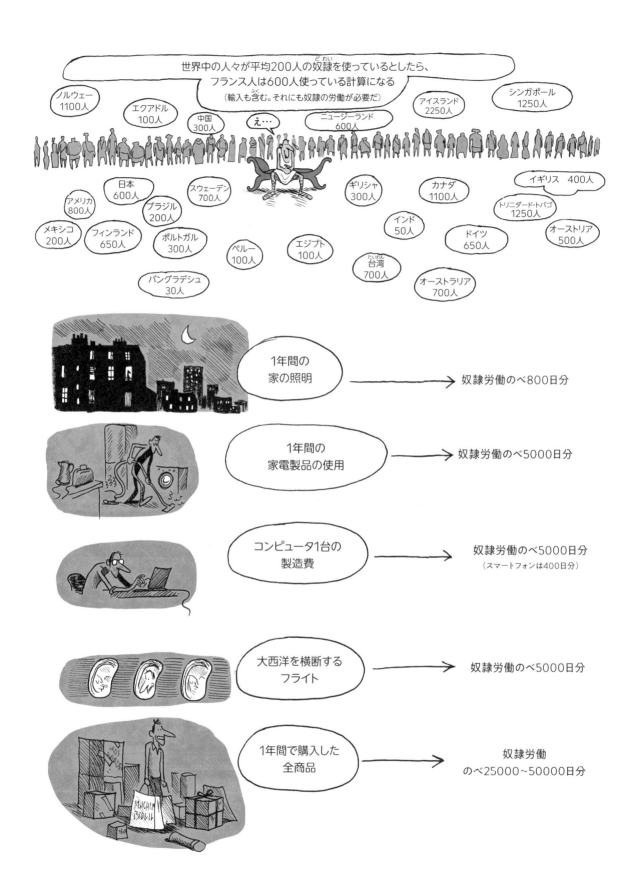

自動車で
15000kmを走行　→　奴隷労働のべ30000日分

広さ100㎡の
家の暖房1年分（だんぼう）　→　奴隷労働
のべ20000〜40000日分
（断熱材の性能による）

これでわかっただろう？
エネルギー消費を大幅に抑制（よくせい）するには、
こまめに電灯を消すとか使い捨てのコーヒーカップ
をやめるのではまったく足りないということが

年に一度の
大バーゲン

大バーゲン　大バーゲン

1年間の買い物すべて、
移動、食べたもの、
住む家の大きさやその暖房…

そういったことが重要なんだ

この新たな問題に対して
多くの企業は（きぎょう）
まったく準備が
できていなかった。
その対応は非科学的、
よくて行き当たりばったり
だった

わが社は屋上で
ミツバチを飼育していますし、
プラスチックカップを
リサイクルしています

ぼくはコンサルタントとして
企業の世界をよく知っている。
根本的な問題に取り組むのは
簡単じゃない。
見て見ぬふりを
する方が楽だ

それに年に1回、
自転車通勤の日を
もうけています！

人間とは
そういうものだよ

1人当たりのエネルギー消費量は
ものすごく増えた

同時に、世界の人口も
大きく増加している

人類はおよそ1万年前に狩猟採集生活から農耕生活に移行した。
氷期が終わり、間氷期に入って温暖になって、気候が安定したころのことだ

人類が定住できたのは、食べ物を手に入れるために
気候の変化によってあちこち移動しなくてもよくなったからだ。
定住によって文化が花開いた。当時の世界の人口はだいたい4〜5百万人だった

そして1800年ごろ。産業革命前夜、平均寿命は40歳に少し欠けるくらい。
都市部ではもっと短かった。
都市にはさまざまな病原菌が存在し、感染症が広まりやすく、乳児死亡率も高かった

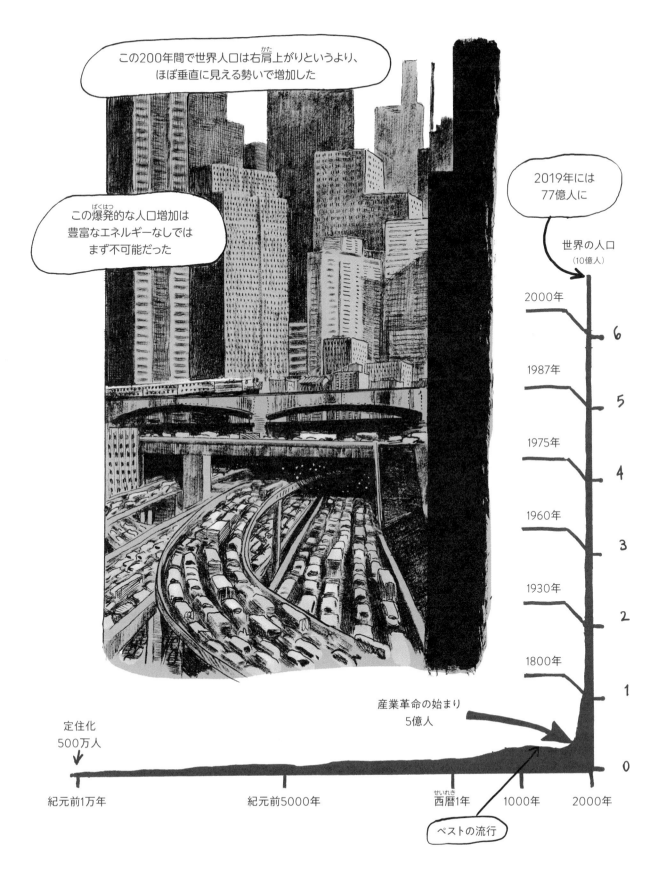

豊富なエネルギーがなかったら、
1945年から1975年までに、
パリ地域の1haあたりの穀物収量が1000kgから
8000kgに増加することはなかった

生産された食べ物が
遠く離れた市場に運ばれることもなかった

食べ物を暑さや寒さや虫から守り、
保管しておくこともできなかった

都市に水道をひくことも、
飲用に適した水質に保つこともできなかった

化石燃料がなかったら実現しなかったことは多い。
その最たるものが、
世界人口が70億、80億に達しようとしていることだ

ここまで人口が増えたのは豊富なエネルギーのおかげだ。
もしエネルギーが大幅に減少していったら、
70億、80億の人々が生きていけるだろうか？

わからない

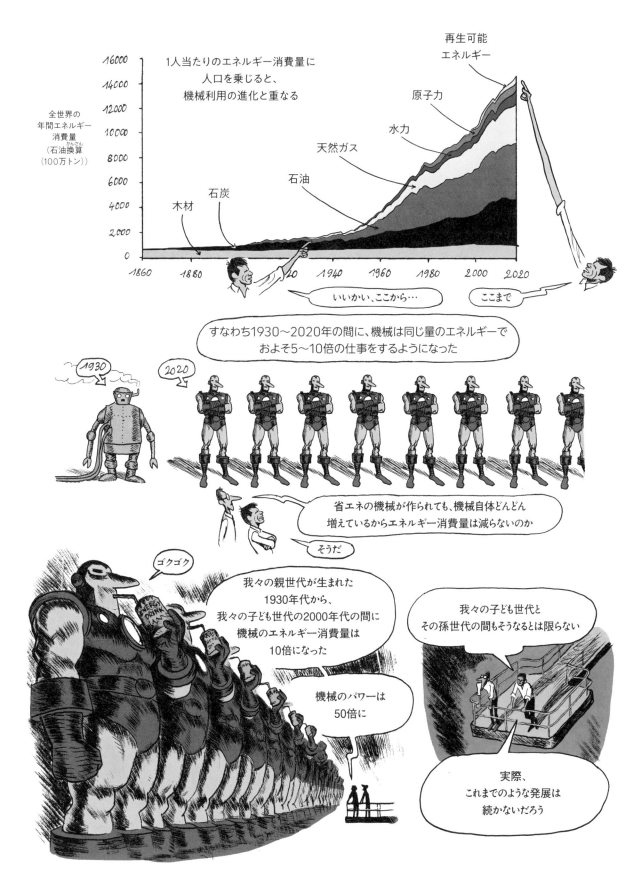

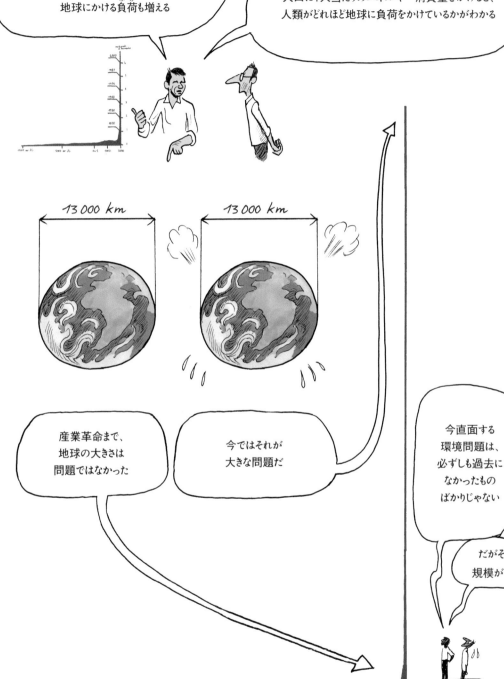

54

過去　　　　　　　　　現在

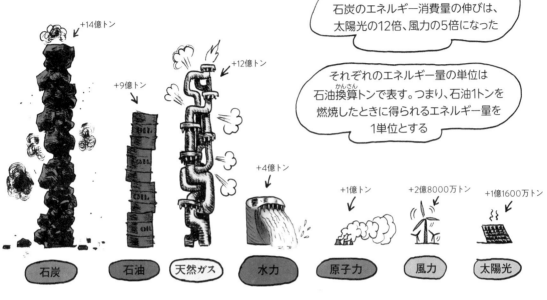

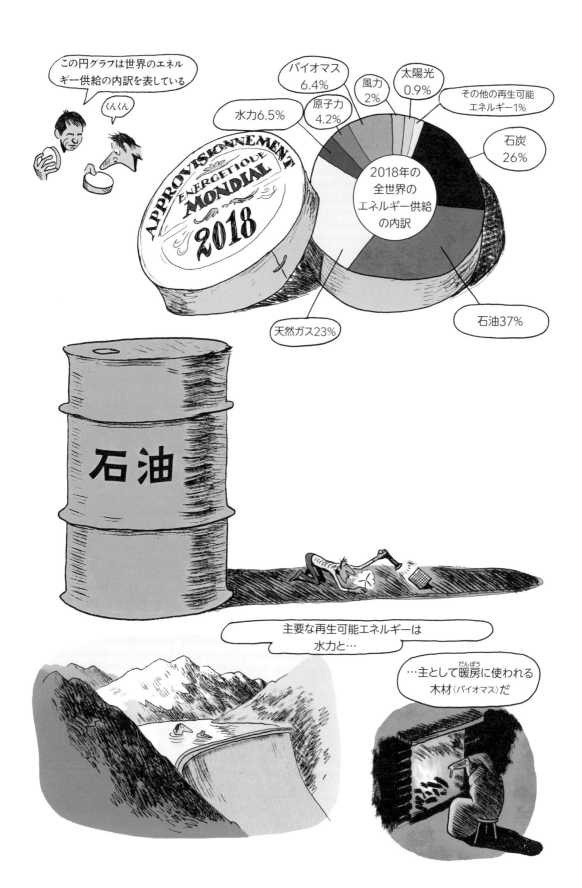

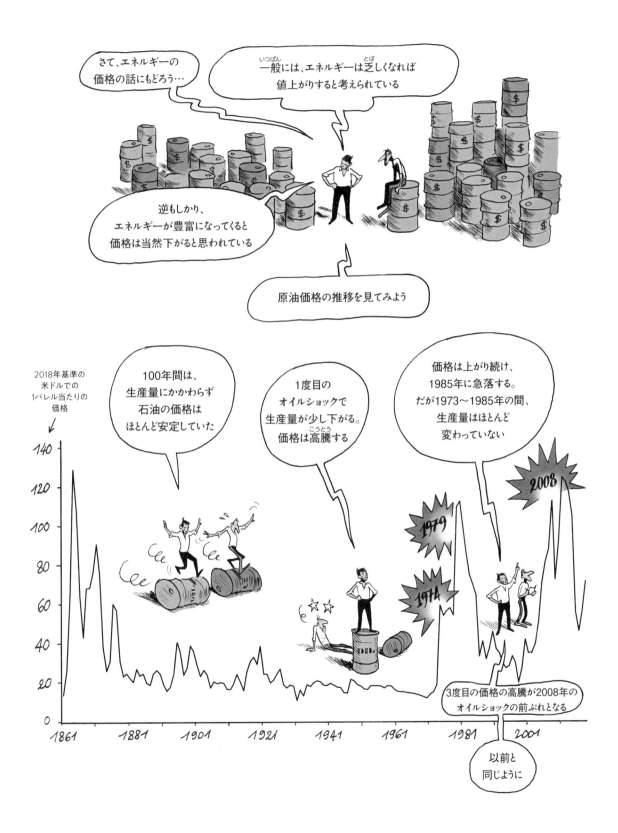

モノの本当の価格は、お金ではなく労働時間で表される。
当時の価格は人々の収入に照らして考えなくちゃいけない

1860年以降のアメリカの1人当たりの
GDP（1990年基準の米ドルで計算）

1860年
2000ドル

1900年
4000ドル

2000年
27000ドル

1950年
11000ドル

人々の収入は約15倍に増えた。主要先進国で同じ傾向が見られる

実質的なエネルギー
価格が急落したのは、
石油の価格が下落した
からではなく、
労働の経済的価値が
高騰したから
だとわかる。

石油の流通は比較的安定していたが、
1バレルの価格は人々の収入と関連して
93%下がった。

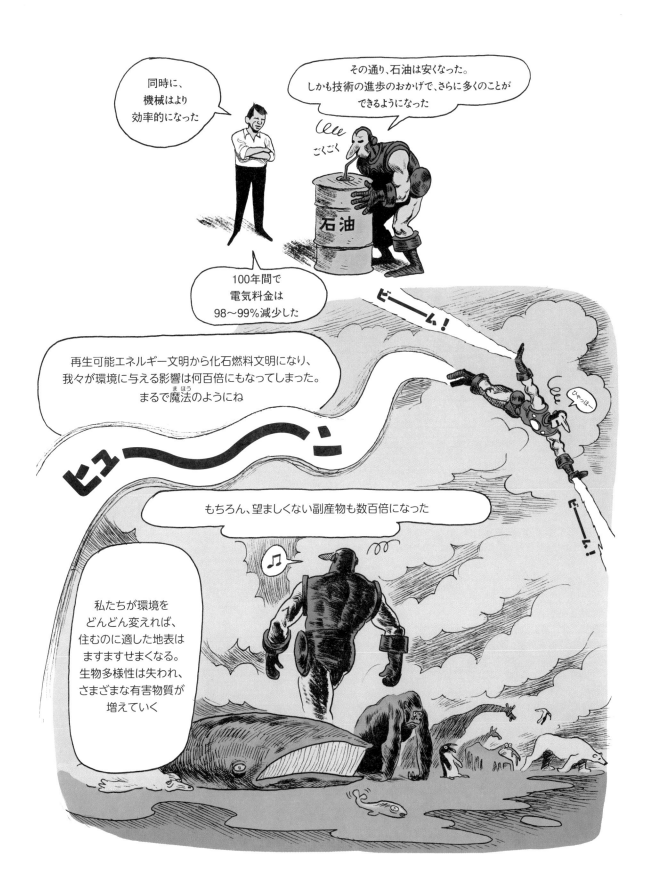

フランスでは、
個人の収入における
エネルギー支出の割合は
過去30年の間で今が一番低い

 **1959** 6%

 **1975** 6.5%

 **1995** 5.5%

 **2017** 5%

なぜきみは農民ではなく漫画家をやってるのか？　それも豊富な
エネルギーのおかげだ

簡単に言うと、豊富なエネルギーは
労働を急激に変えた

きみの知り合いのほとんどが、
都市で"第三次産業"つまり
サービス産業で働いている

これは新たな進展だ

200年前、
人口の3分の2は農民だった

フランスの農民
は850万人

生産性という観点から見ると、
1人の農民がその本人と、
他の仕事をしている人の半人分の食べ物を作っていたことになる

農業従事者は1850年まで増加する。
農民1人当たりの生産性は変わらなかったが、
人口は増加した

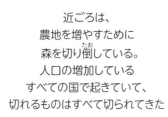

近ごろは、
農地を増やすために
森を切り倒している。
人口の増加している
すべての国で起きていて、
切れるものはすべて切られてきた

このままでは、やがて森林地帯は
最小限になってしまう。
残るのは、たいていは
耕作地には適さない山岳地帯だ

この問題は途上国でより
深刻になっている

それに、
1850年以降、
機械化が進み、
農業の生産性を
高める道具が
考案される
ようになった

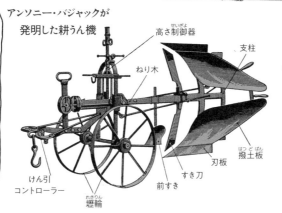

アンソニー・バジャックが
発明した耕うん機

高さ制御器

支柱

ねり木

けん引
コントローラー

堰輪

前すき

すき刀

刃板

撥土板

この道具が
できると、
畑を耕す
人間は減り、
役畜に道具を
引かせる
ようになった

しかし
第一次世界大戦後、
アイアンマンが
あらわれた…本当に！

アメリカでは、
12頭の馬に
匹敵する力強さを
持つトラクターを
使うようになった

さらに、化学肥料や殺虫剤も
使われるようになり…

…トラクター以外にも多くの
エネルギーが必要になっていく

豊富なエネルギーによって、ますます多くの機械を使えるようになる

つまり工業が活気づく！

機械にはそれを動かす人間が必要だ

労働者の仕事とは？
そりゃ、機械に仕えることだよ

機械化の前は、道具は人間の延長だった。機械化でそれが逆になった

かつては人間が道具の速度を決めていた

今は逆だ、機械が速度を決めている

	1850	1921	1962	1974
フランスの農業従事者	900万人	 650万人	350万人	200万人
フランスの工業従事者	250万人	450万人	700万人	800万人

オイルショック後、石油の生産は急激には増えなかった

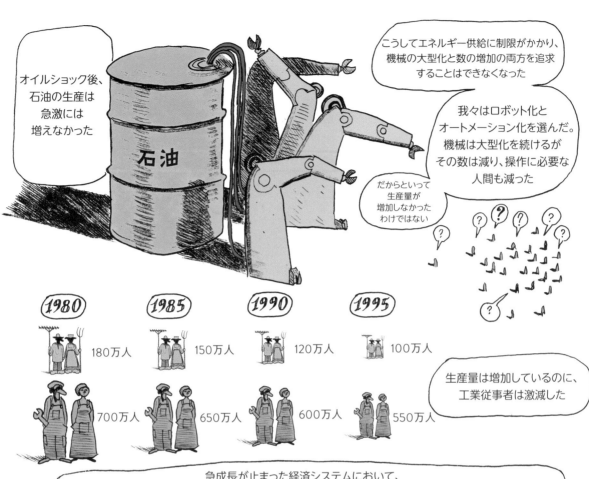

こうしてエネルギー供給に制限がかかり、機械の大型化と数の増加の両方を追求することはできなくなった

我々はロボット化とオートメーション化を選んだ。機械は大型化を続けるがその数は減り、操作に必要な人間も減った

だからといって生産量が増加しなかったわけではない

1980　180万人
1985　150万人
1990　120万人
1995　100万人

700万人
650万人
600万人
550万人

生産量は増加しているのに、工業従事者は激減した

急成長が止まった経済システムにおいて、主要な先進国はもはやすべての人に生産性の高い仕事を提供することはできなくなった

もう工業では仕事が見つからずにサービス産業に転職する人もいる…

フランスでは、失業者が増えた…

…雇用の流動性がより高い国（イギリス、アメリカ、ドイツなど）では高い技術を必要とせず賃金の低いパートタイムの仕事も増えた

だが、サービス産業には、仕事を失った人をすべて受け入れられるほどの規模はない

かつて公共職業安定所と呼ばれていたANPE（国立雇用紹介所）

ここまでの話はともかく、
豊富なエネルギーの到来とともに、
爆発的に増えた雇用形態が一つある。
第三次産業、つまりサービス産業だ

製造業では、
機械の数が
雇用の数を
決める

サービス産業では、
生産された物の数で
雇用の数が決まる

車を例にとってみよう。車を作る時間が短くなり、
車がどんどん作られるようになる…

しかし、運転を覚えるのにかかる時間は
あまり変わらない

車を売るのにかかる時間も…

買うためのローンの
審査にかかる時間も…

保険契約を結ぶのに
かかる時間も

作られた車をスムーズに流通させるために、
ますます多くの人が必要になる

危険な運転を取りしまる仕事も増える

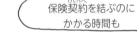

サービス業が
生産の
流れを左右する

生産量が2倍になると、販売や保険、
その後の処理のために必要な仕事も2倍になる

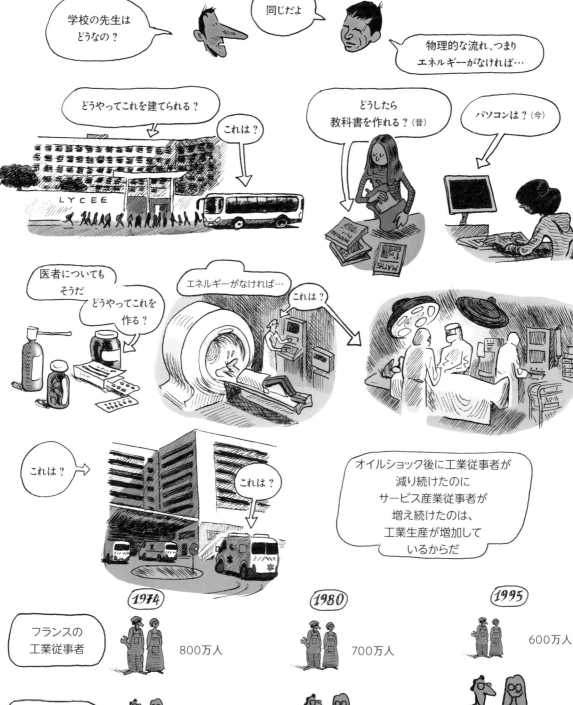

1人当たりのCO$_2$排出量の算出は、化石燃料消費量の数値化と同じことだ。
これを見てほしい

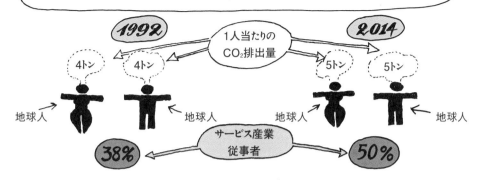

1992　1人当たりの　*2014*
CO$_2$排出量

4トン　4トン　5トン　5トン

←地球人　地球人→　←地球人　地球人→

サービス産業
従事者

38%　50%

サービス産業の割合の高い世界は
エネルギー節減に成功した世界ではない。
脱物質的世界でもない

まったく逆だ。構成する要素が多くなればなるほど
システムは複雑になり、
それらを扱うために多くの人が必要になる

2008年の世界金融危機以後、
工業生産の成長は止まった

サービス産業が
あおりを受け始めた

1人当たりの利用できるエネルギーが増えると、機械が増え、農業従事者は減る。世界中どこでもそうなっている

豊富なエネルギーは食生活も変えた

昔は、穀物と玉ねぎを食べた

それから小動物へと移った。はじめはそれらが産んだものを食べ…

やがてアンリ四世が登場…

わが王国の農民が、貧しくて毎週日曜日に鍋（なべ）に鶏（とり）を入れられぬことのないように

最初は、年をとって卵を産まなくなっためんどりを食べるようになった

つぎに、若鶏を食べるようになった

それから豚（ぶた）を食べるようになった

そして最後に牛を食べるようになった

食用牛の飼育頭数は、生活をエネルギーに大きく依存（いぞん）している国の目印になっている。その代表がアメリカだ

農業用の機械は耕作地の生産高を
上げるのに役立ってきた。
肉をたくさん食べたいのなら、
これはとても重要なことだ

フランスの牧草とトウモロコシの80%は
動物の飼料に使われる。
小麦の50%もそうだ。
世界中で栽培される大豆の大部分も飼料用だ

おい！　それは牛用だぞ！

何度言ったら
わかるんだ？

豚用だ！

我々の食生活が
温室効果ガスの排出に
どれだけ影響を及ぼしているか
見てみよう

むしゃ
むしゃ

CO_2以外の温室効果ガスも、
これらの食べ物を生産する段階で
排出されている[*]。
その排出量はCO_2換算、
すなわち1kgのCO_2と
同等の温室効果で表される

ここに示すのは、さまざまな食べ物の生産に
かかる1キロ当たりのCO_2換算排出量だ…

…使われた炭化水素の
量によるところが大きい

 1kg未満

 3kg

 9kg

 1kg

 4kg
ガーガー

 17kg
メー

 2kg

 4kg
熱帯産

 20kg
メェ

 2kg
（ヨーロッパ産）

 5kg

 21kg
肉牛

 3kg

 5kg
非加熱

 42kg
子牛

 2.5kg
工場式畜産

 8kg

100kmあたり
 22kg

きみたちは数字的には
車と似たようなもんだな

71

*ウシのゲップ（メタン）はCO_2の約25倍の温室効果をもつ。

機械によって生産性が向上したおかげで、
肉食のコストがぐんと下がった

 1929   1971   2013

アメリカの
世帯収入
における
食費の割合 →

20%   10%   5%

この内の80%は原材料費

この内で原材料費は
20%未満

わずか100年前、人々は世帯収入の4分の1を食べ物に
費やしていた。自宅でレストランを経営するようなものだ

今では家庭で購入する食べ物の
80%が大規模に流通しているものだ

昔は原材料を
買っていた…

…たいていは
農家から直接

ところが払ったお金の
大半は食品そのものには
払われていない

レジ係の給料   倉庫係の給料

配送業者の給料   自動決済端末を作った
会社のエンジニアの給料

株主所得   トラック輸送費   広告収入

等々…食品以外の
ものにもって
いかれる。
食品そのものの
代金は
せいぜい30%、
安いと3%程度に
すぎない

100年前は、
加工食品も、
仲買人もあまりいなかった。
きみは今、
サービス産業に
お金を払っているんだ

食べ物が加工されれば
されるほど、その傾向が
強まる

食べ物の本当の価格は90%以上も下がっている。
肉の場合は96〜98%と言ってもいい

石油

1800年には、1人当たり年間で
平均20kgの肉を食べていた…
それが今では
100kgも食べている

今度は移動手段の変化を見てみよう

200年前は、
平均的な通勤距離は徒歩で1日およそ3kmだった。
これは家から畑まで行き来する
農民の話だ

ほとんどの人は一生を、
半径100kmかそれ以下の地域で
すごした

1900年以降、
車の使用が
大幅に増えた

1925年には、移動距離のうち
徒歩による移動の占める割合が
半分になった

1952年までは、人々の1日の移動距離に
占める徒歩の割合は、車と同じくらいだった

この図はフランスにおける
輸送手段を表している

それぞれの面積は移動に使われる
エネルギー量を示す

〈縦軸〉
乗客1人1km
あたりの
エネルギー
消費量
（石油換算
グラム）

7,5　18　32　37

〈横軸〉
1kmあたりの
年間乗客数
（単位10億人）

95　60　730　140

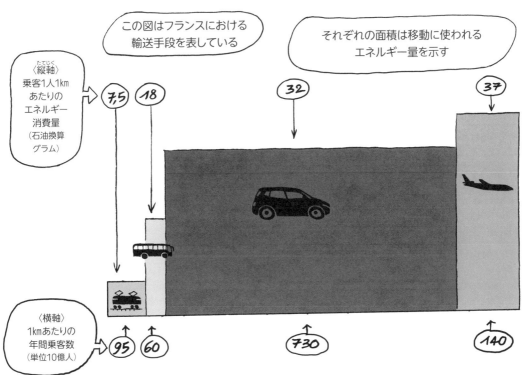

73

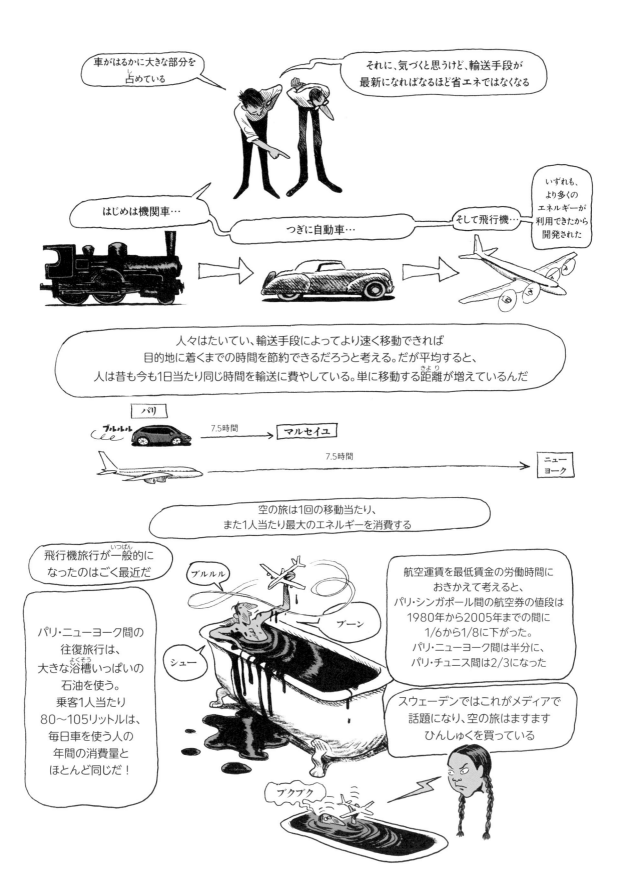

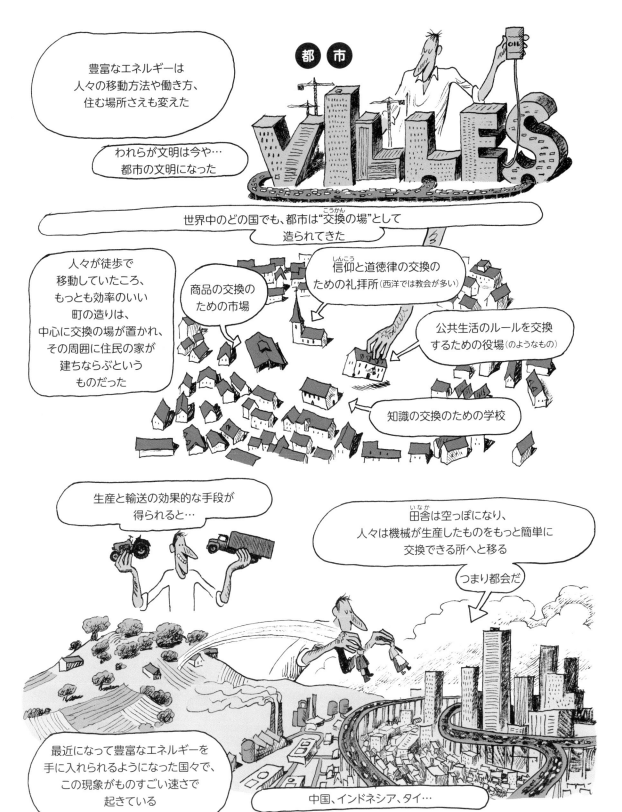

都　市

豊富なエネルギーは
人々の移動方法や働き方、
住む場所さえも変えた

われらが文明は今や…
都市の文明になった

世界中のどの国でも、都市は"交換の場"として
造られてきた

人々が徒歩で
移動していたころ、
もっとも効率のいい
町の造りは、
中心に交換の場が置かれ、
その周囲に住民の家が
建ちならぶという
ものだった

商品の交換の
ための市場

信仰と道徳律の交換の
ための礼拝所(西洋では教会が多い)

公共生活のルールを交換
するための役場(のようなもの)

知識の交換のための学校

生産と輸送の効果的な手段が
得られると…

田舎は空っぽになり、
人々は機械が生産したものをもっと簡単に
交換できる所へと移る

つまり都会だ

最近になって豊富なエネルギーを
手に入れられるようになった国々で、
この現象がものすごい速さで
起きている

中国、インドネシア、タイ…

1960年 世界の人々の30%が都市に住み、それぞれが1年に平均3トンのCO_2を排出していた

2014年 世界の人々の55%が都市に住み、それぞれが1年に平均5トンのCO_2を排出している

一般に考えられているのとは逆で、都市に住む人が多ければ多いほど、1人当たりのエネルギー消費量は増加し、CO_2排出量は増加する

19世紀の都市改造で建てられたオスマニアン様式の建物が多く、人口密度の高いパリは、エネルギー効率のよい都市の好例だ。建物はみなくっつきあっている

豊富なエネルギー資源がなくても、徒歩で（あるいは馬や馬車で）なんでも用が足りる

高層ビルを建てるなら、建物の周囲にもっとスペースをあけなければならない

みんなが車を所有すれば、都市は雑然と広がり、ロサンゼルスみたいになる

都会は、これまでよりもかなり広い半径およそ150キロ圏で、以前と同じ交換機能を維持している

農村地帯の無秩序な住宅地化、つまりスプロール現象は、すべての先進国に見られる。そう見えない所は物理的な壁にぶつかっているだけだ

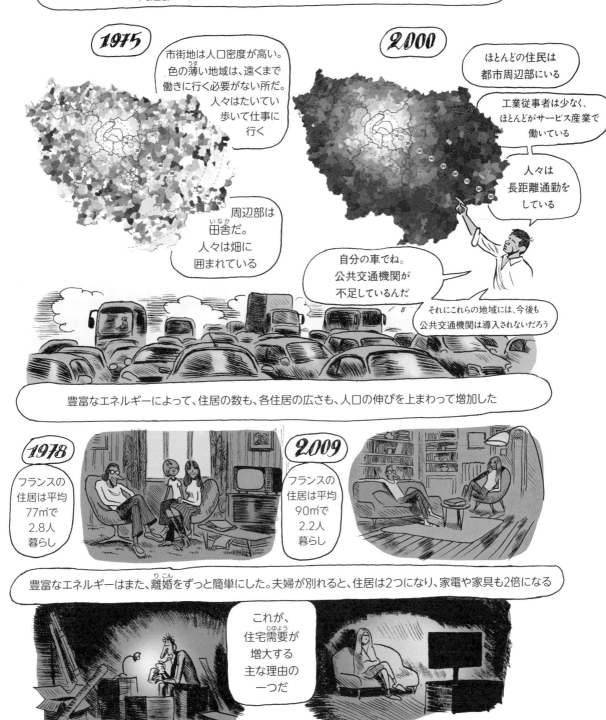

パリを中心とするイル・ド・フランス地域圏を見てみよう。
周辺部になればなるほど人々の通勤する距離（きょり）は長くなる

1975

市街地は人口密度が高い。
色の薄い地域は、遠くまで
働きに行く必要がない所だ。
人々はたいてい
歩いて仕事に
行く

周辺部は
田舎（いなか）だ。
人々は畑に
囲まれている

2000

ほとんどの住民は
都市周辺部にいる

工業従事者は少なく、
ほとんどがサービス産業で
働いている

人々は
長距離通勤を
している

自分の車でね。
公共交通機関が
不足しているんだ

それにこれらの地域には、今後も
公共交通機関は導入されないだろう

豊富なエネルギーによって、住居の数も、各住居の広さも、人口の伸びを上まわって増加した

1978

フランスの
住居は平均
77㎡で
2.8人
暮らし

2009

フランスの
住居は平均
90㎡で
2.2人
暮らし

豊富なエネルギーはまた、離婚（りこん）をずっと簡単にした。夫婦が別れると、住居は2つになり、家電や家具も2倍になる

これが、
住宅需要（じゅよう）が
増大する
主な理由の
一つだ

子どもは片方の家からもう片方へと行き来するだろう。
エネルギー消費量は別れた夫婦それぞれ1人当たり60％増加する

時 間

機械が人間の代わりに働くように
なって、人々は余暇を手に入れた

エネルギーが
豊富では
なかったころ、
大学院に
進学する人は
めずらしく、
引退生活は
なかった…

長期休暇も、
土日休みも、
フレックス
タイム制も
なかった…

移動の場合と同じように、趣味も最新のスタイルになればなるほど、
エネルギーを多く消費する

長期休暇に出かける
4人家族を想像して
みよう…

キャンプ

4人1週間で80kgのCO_2、
1か月で100kgを排出

オートキャンプ

1週間で120kgのCO_2、1か月で170kgのCO_2を排出

古い家（例えば義母の家）
での休暇

1週間で80kgのCO_2、
1か月で130kgのCO_2を排出

貸別荘での休暇

1週間で100kgのCO_2、1か月で200kgの
CO_2を排出

最新式の別荘での休暇

1週間で230kgのCO_2、
1か月で430kgのCO_2を排出

ウィンタースポーツ

1週間で200kgのCO_2を排出

モロッコのホテルに宿泊

1週間で980kgのCO_2を排出

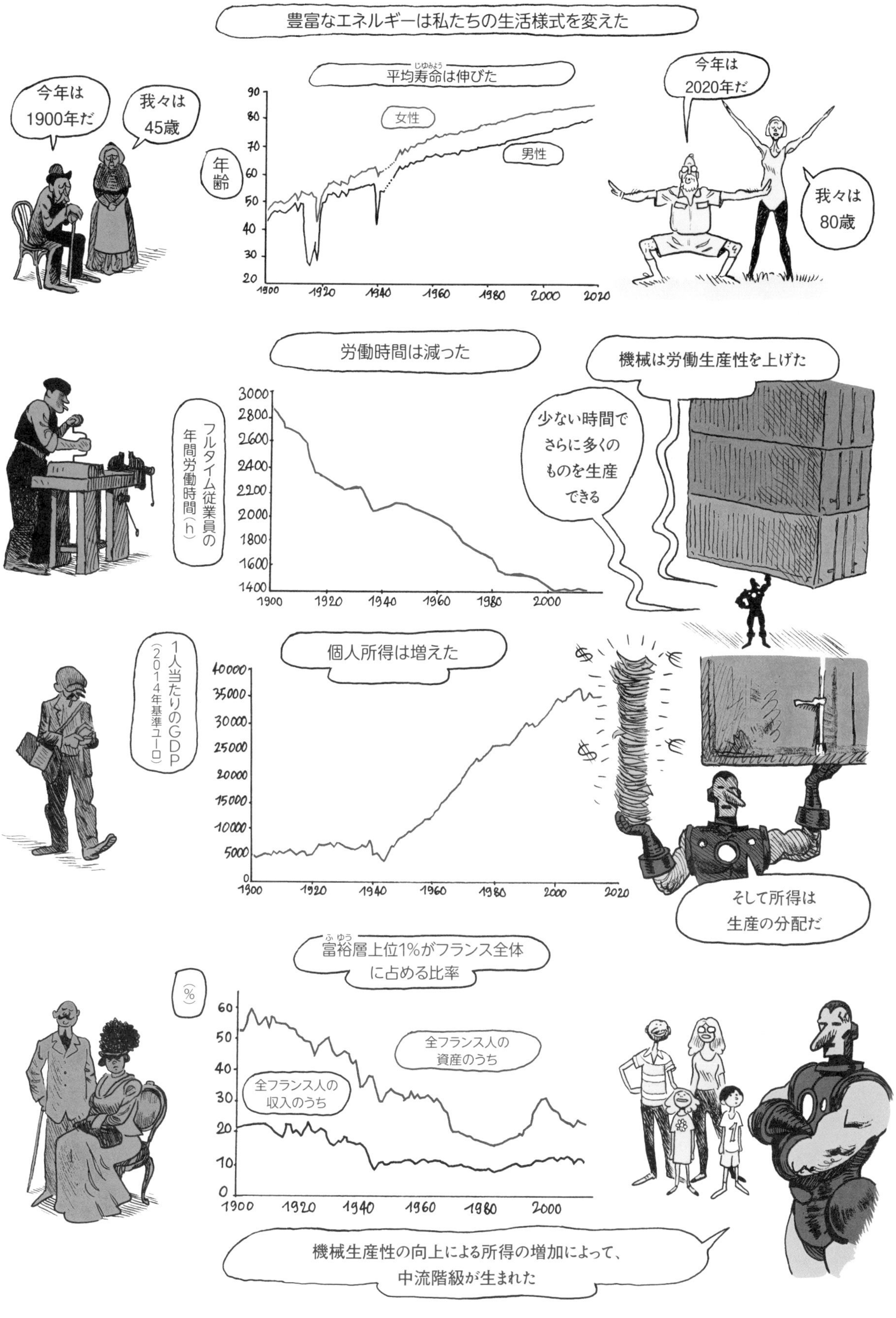

豊富なエネルギーは私たちの生活様式を変えた

今年は1900年だ

我々は45歳

平均寿命は伸びた

年齢

女性

男性

今年は2020年だ

我々は80歳

労働時間は減った

フルタイム従業員の年間労働時間（h）

機械は労働生産性を上げた

少ない時間でさらに多くのものを生産できる

個人所得は増えた

1人当たりのGDP（2014年基準ユーロ）

そして所得は生産の分配だ

富裕層上位1%がフランス全体に占める比率

全フランス人の資産のうち

全フランス人の収入のうち

機械生産性の向上による所得の増加によって、中流階級が生まれた

石油と天然ガスは、きみのまわりの
あらゆるものを作るための
機械を動かすのに使われる

また、有機化学工業の
原材料にもなる

さあ、きみの家から
石油由来のものをすべて撤去しよう

何も残らない

実の所、床もはがさなければならない。
ニスが塗られているからね。
それからペンキも…

石油は我々の身の回りのほぼすべてのモノの基になっている

そして言うまでもなく、
1人当たりの家電製品の数は
すべての先進国で激増した

そうだね

ますます豊富になるエネルギーは
さらに多くの品物を作ることを可能にした

増え続けるエネルギーは、
情報量の増加をもたらした

情報の流れは物の流れに取って代わるわけではない。
仮想は物質の代わりにはならない。物が豊富になれば情報も豊富になり、逆もまたしかり。
歴史を振り返ってみても、つねにそうだった

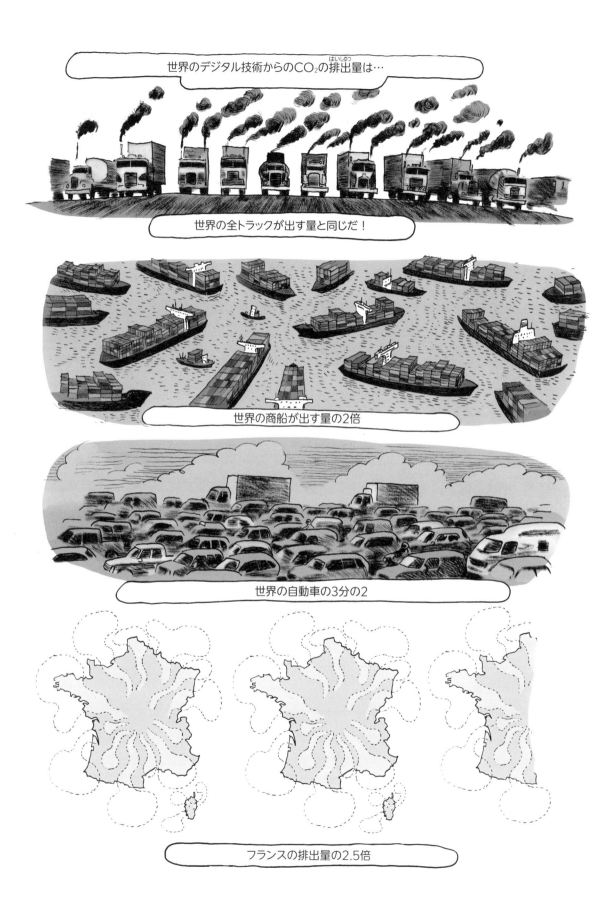

その排出量の半分の出どころは…

スクリーン（テレビ、コンピュータ、スマートフォン…）の製造

アンテナの建設とメンテナンス…

海底ケーブルの敷設とメンテナンス…

通信を
主な目的とする
衛星…

排出量のあと半分は、このシステムを稼働させるために必要な電気による。
石炭は世界の電気の40％を供給している。インターネットを使うことは石炭を使うことなんだ

病院も大量のエネルギーを消費している。
フランスではカーボンフットプリント＊の5％近くを占めているんだ…

放射線科

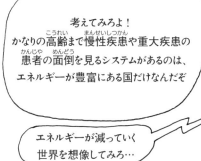

考えてみろよ！
かなりの高齢まで慢性疾患や重大疾患の
患者の面倒を見るシステムがあるのは、
エネルギーが豊富にある国だけなんだぞ

エネルギーが減っていく
世界を想像してみろ…

なんだって！
ぼくたちが年をとったら
医療を受けられなく
なるってことなのか?!

我々は、エネルギーが減るなんて
考えられないかのようにふるまっている

だれもがデスクワークをするような職につける
というのが暗黙の約束だった。つまり機械の社会、
エネルギー大量消費社会を約束していたんだ

当時のフランス大統領フランソワ・
ミッテランも、1987年当時は
こんなこと想像もしていなかった

すべての人を
大学に！

言いかえれば「エネルギーが無限にある社会を約束する」
ということで、当時はそれが共有されたビジョンだった

＊商品・サービスの各過程で排出された温室効果ガスの量を追跡し、CO_2量に換算して表示すること。

昔は豊富なエネルギーも機械もなかったので、労働者は
自分たちに加えて、働いていない人々を大勢支えられるほどの
生産力がなかった

高齢者の世話は
家族がした

長期休暇に出かけられるのは
金持ちだけだった

社会から追放された人は、奴隷や囚人として、
強制的に働かされた

だけど、
労働者の闘いも
あったよ

ああ、そうした闘いに意味はあったが、
実際に社会全体の快適さを向上させたのは、
豊富なエネルギーの登場だった

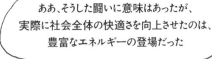

正義を目指す気持ちだけで
社会全体が快適になったわけではない

戦後の好景気で、エネルギー、とくに化石燃料の供給が激増すると、
すべての西欧諸国は程度の差はあれ福祉国家を作り上げた。
アメリカの福祉は貧弱だが、北欧諸国やフランスの福祉は充実している

福祉

積極的連帯手当*（フランス）

＊日本の生活保護費に相当するもの。

ぼくたちが、自分たちの経済活動が無限の可能性を持つと考えているとしたら、それはこの人や、この人の仲間のせいかもしれない

ジャン＝バティスト・セイ
(1767-1832)

2世紀前、セイは経済を理論だてて説明した最初の人物の1人だった

これがセイの言ったこと

天然資源は無尽蔵である、さもなければ、我々はそれをただで得ることはできなかっただろう

資源は増えることもなければ尽きることもないので、経済学の領域ではない

当時は土地がふんだんにあった。アメリカの植民地化はまだ始まったばかりだった

ハハハ！

ロシアはひたすら広かった…

ハハハ！

海がどこまで続いているのか、だれも知らなかった

ハハハ！

資源不足など考えられなかった

ハハハ！

当時の経済学者たちは、もっとも乏しいもの、つまり真に価値があるのは人の労働力だと考えていた

私は人間に由来する限界についてのみ、関心がある

他のことなど、どうでもいい

資源は、はかり知れないほどあるのだ

言わせてもらうぞ、他のことなど知ったことか！

世界の経済学の考え方は、いまだに同じ調子だ

資源は無限にある…

そうだ、資源のことなんてどうでもいい！

生産こそ、我々の関心事だ

一方で、工学者で経済学者でもあったシャルル・デュパン（1784-1873）は、1801年に別の分析を行なった

デュパンは、フランスとイングランドの生産力を比較した

しーっ！

動物、機械、人間それぞれの労働力が等価となる基準を確立した

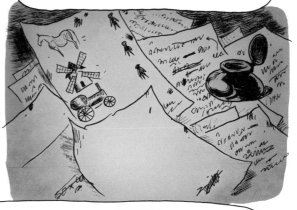

そしてデュパンは、フランスに比べて人口が3分の1にすぎない大英帝国が、なぜおよそ3倍もの生産力を持っているのかを理解した

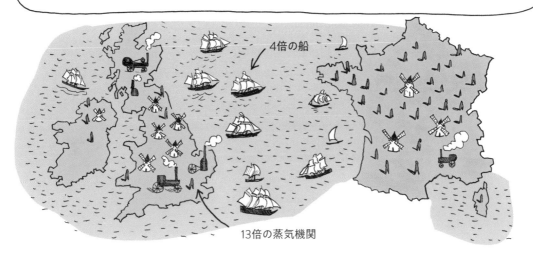

4倍の船

13倍の蒸気機関

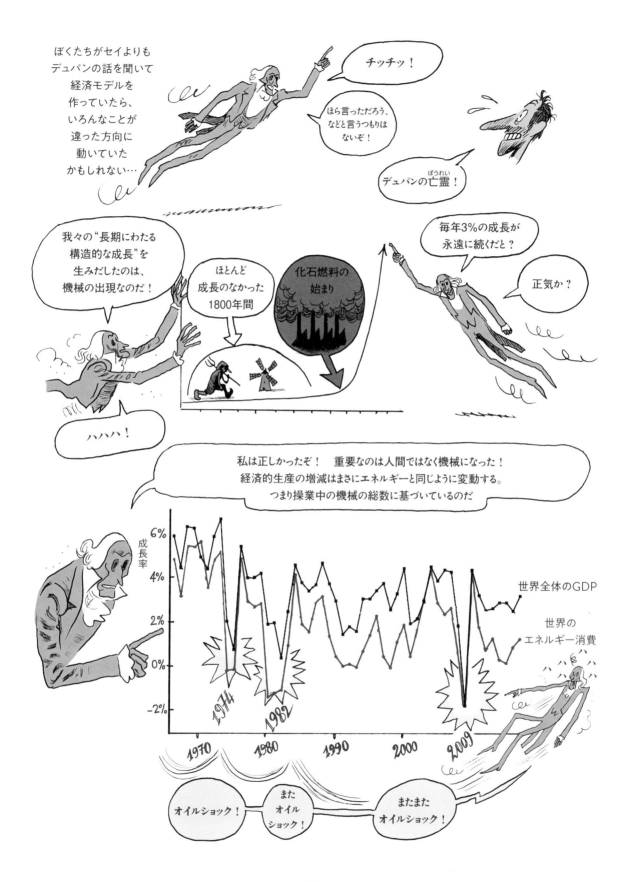

＊脳の中心部に位置し、意思決定や運動処理に関与する大脳基底核の主要な部分。p187参照。

石　油

原油は化石燃料だ。
すべての化石がそうであるように、
原油は昔の生命体の遺骸なんだ

はるか昔の海にプランクトンが棲んでいた。
その一部はすでに絶滅している

これらの微生物が死ぬと、その断片が海の底に落ちて
積もった

積もったものは、くだけた石や鉱物、
川によって運ばれる堆積物、ちりなどに覆われた…

炭素を含まない無機物の部分は圧縮された。
炭素を含んだ有機物の部分は熱の影響で
分解されて、ガスや油（将来の石油）や、
使えない残りものを作りだした

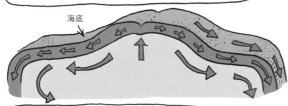

プレートの運動によって窪地がつくられ、
そこに堆積物はどんどん溜まっていった

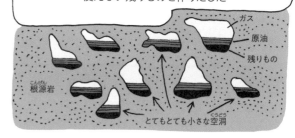

ほとんどの場合、ガスや油は根源岩と呼ばれる岩から出てくる。
浮力を受けて上部へと移動するのだ

通常、この移動は自然な経過をたどって、
地表に出てくる

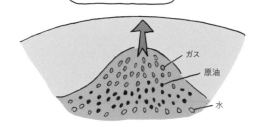

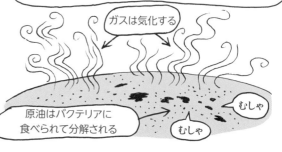

だが時々、
そういったものを通さない
岩石にじゃまされて、
移動ができないことがある…

ぼくたちは、それを
採取するだけでいい

アメリカで石油ラッシュが始まった時、
初期の井戸は浅く掘りやすかった。
地層の持つ圧力によって石油が噴き出した

低浸透性岩石
（ていしんとうせい）

貯留岩
（ちょりゅうがん）

ガス

根源岩

原油やガスはトラップの下の
貯留岩に溜まっていく

やったー！

ドレークは原油を生産するにあたって、
単純なポンプを使った

それって
地底湖の
ようなもの？

いや、違う。
原油の成分は
貯留岩の中にしみこ
んでいるんだ
（ちが）

こういうのを想像してみて。
まず、軽石を原油の中に
浸す…
（かるいし）
（ひた）

それから近所の人に、
きみが見ていない時に
それをきみの庭の
約4メートル半の深さに
埋めてくれとたのむ

それから草がのびて
何もかもを覆ったら、
きみは庭に出て、
縫い針ほどの太さの
ストローを使って、
軽石を掘り出さずに
原油を抽出しようとする
（ぬ）
（ほ）

見ちゃだめだよ！

わかってる！

ぺっ！

泥
吸っちゃった

ぼくたちが原油を土から取り出すのは、
だいたいそんな感じだ

石炭はどうなの？

石炭もだいたい
同じようなものだけど、あれは
石炭紀の巨大シダ類などの
分解で形成されたものだから
（きょだい）

だが、その話はまた後で

炭層

それと、これらのエネルギーは
完全に再生可能だよ…

？

まあ、3000万年から
3億5000万年待てたら、
という話だけど

知ってるよ。あんたたちの
SUVはプランクトンで
動いてるんだってね

どうして
ぼくたちは
原油に
飛びついたん
だろう？

大昔から
知ってたからだよ

それは主に、地表に滲み出てきた場所で採取されていた

きたない！

メソポタミアの人々は、その瀝青質の成分*を
船の防水に使っていた

人々はそれが燃えやすい性質を持つと知っていたので、
灯りに使っていたが、それは大規模な利用ではなかった

19世紀半ばになって、公共の場や家庭の照明のために
産業規模で
原油を採掘
して精製する
という考えが
生まれた。

アメリカ東部ペンシルベニア州では
地下の浅い所に豊富な原油が見つかり、石油ラッシュを
引き起こした

ペンシルベニア石油会社

ハハハハ！

ハハハ

わはは！

石油はクジラを救った。それまでは鯨油が照明に使われていて、
灯台でも鯨油を使っていた。
クジラの脂肪の需要はとても高かったので、
とくにマッコウクジラは絶滅寸前になるまで捕獲された。
そして人間はクジラを見つけるために、
さらに遠くの海へと行かなくてはならなかった

石油の中でも重い成分は、
蒸気機関に差す油にも使われた。
それらは植物油にとって代わった

1861年の
『ヴァニティ・
フェア』誌に
掲載された
風刺画。
クジラたち
が命拾いし
たと喜んで
いる

石油は最初、
石炭工業を石油工業に発展させるのに用いられて、
さらにはエンジンの燃料として使われるようになった

*ここではアスファルトのこと。

シェールオイル

LE

SHALE OIL

だが今、ぼくたちの関心を
とくに引いている
原油がある

"シェールオイル"は、
誤解をまねく名前だ。
それが含まれる岩は、
シェール（頁岩）とはかぎらない

それは
"タイトオイル"とも
呼ばれている

おれたちは
上部に移動
できないんだ

この原油のことは、
ずっと以前から
知られていた

きつくタイトな
岩石なので、
原油やガスはその中に
閉じこめられている

だが、それを本格的に
利用し始めたのは、
2008年からだ

吸盤でくっついた
みたいに、ここで身動きが
とれずにいる

くっついて
る

原油を最大限生産するために、
井戸をとちゅうで90度曲げて
根源岩を水平方向に
貫通しなくてはならない

岩石には3つのものが圧入される。
岩に割れ目を作るための加圧水、
割れ目を保つための砂、
原油を動きやすくするための添加剤

根源岩

この技術は、
従来の石油を生産するよりも、
はるかに多くの資源を必要とする

こりゃ
簡単には
いかないぞ

シェールオイルの油田は主に
アメリカ合衆国のテキサス州、
ニューメキシコ州、ノースダコタ州で
発見されている

シェールオイルの井戸は、
従来の井戸の
生産性にはほど遠い

始動から1年後、
生産量は5分の1、
場合によっては10分の1
まで減る

それほど短期間で井戸が機能しなくなるなら、
パイプラインを設置するのはむだだから、
原油はトラックで運ばれる

そこで周辺一帯に道路網を敷くことになる

これは上から見た写真だ

どこかで根源岩の原油を見つけたら、さらにすぐとなりに見つけられる可能性が高い

掘削して、採取して、そのくり返し

小さな四角は、それぞれサッカー場ほどの広さがある

ああ、広くて開放的なテキサスの大地に広がる、美しい景色だ

シェールオイルのエネルギー収支は、従来の石油に比べてずっと劣る

シェールオイルは比重が軽く、利用できる範囲が狭い

従来の石油

1バレル

生産してみよう

100バレル

シェールオイル

20〜30バレル

生産してみよう

100バレル

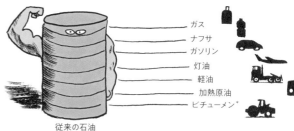

従来の石油

ガス
ナフサ
ガソリン
灯油
軽油
加熱原油
ビチューメン*

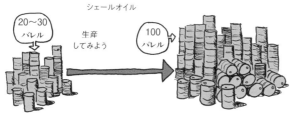

シェールオイル

燃料

＊アスファルトなど。

2020年、石油会社は損失を止めるために投資をやめてしまった。そして、生産量は減った

こんなものゴミだ

シェールオイルの1バレル当たりの価格は、生産にかかる経費をほとんどまかなえなくなっている

とにかく、これはとんでもなくばかばかしい石油だってこと？

2008年の国際エネルギー機関の発表によると、世界の在来型原油の生産量はピークをすぎたそうだ

もっとおおおお!!

生産量の増大を実現するにはシェールオイルに頼るしかないということだよ

樽（たる）の底からかき集めているわけだ

まさにそれさ

他にも、樽の底のような原油がある…

オイルサンドだ

主にカナダのアルバータ州や、ベネズエラで産出される

シェールオイルと違（ちが）って、これは砂の中に堆積（たいせき）していたものが地表付近に移動してきた原油だ。大半の揮発（きはつ）成分が失われて重たい成分だけが残る

採取場所は、露天掘（ろてんぼ）りの鉱山に似ている。そこにあったものをすべて壊（こわ）してから、楽々となかに入っていく

石油探査は、裏庭でイースターの卵を探しまわるようなものだ

最初に見つけられるのは、一番大きくて、一番隠し方がへただったもの

ハハハ！

ドレーク

その後は…

どこだよ！

くそっ！

深海油田

シェールオイル

オイルサンド

LPG*車の方が排気ガスがきれいなんじゃないの？

そう、汚染はすこし少なめ…

理論上はね

ブルン

ガスであるLPGを車の燃料に使うのは簡単なことではない

石油1m³

10000kW（キロワット）

LPG1m³

10kW

ダメじゃん

LPGの生産は今後も取るに足らないままだろう

LPGのエンジンはエネルギー効率が低いうえに、燃費も悪い。これではCO₂排出量の利点が帳消しになってしまう

LPGのタンクは重いうえに、複雑であつかいにくい安全弁がついているのでやっかいだ

ガスは輸送や保管もむずかしい

パイプ

いずれかが必要だ。

または輸送船

液化プラント

再ガス化プラント

LPGは主に原油に随伴して出てくる。これが石油会社にとっては悩みの種だった。埋蔵されている場所はたいてい、消費地からはるか遠く離れていたからだ

オイルショックでLPGへの関心が高まった

石油会社は、LPG車を作るよう強く求めた。原油生産量のうち2%がLPGだったが、石油会社はその使い道に困っていたからだ

このゴミは何だ？

さっさと処分してしまえ

まるで無関係な理由で生まれた数多くのものが、後に「状況の改善に役立つもの」として売りこまれることがよくあるんだ

天然ガスはどうか。イランは世界2位の埋蔵量を有するにも
かかわらず、北部の大都市に供給するためのガスを輸入している

天然ガスは本来、地産地消すべきエネルギー資源だ。
遠い場所から供給を受けるには、大きな投資に見合うだけの
長期契約が必要になる

南部のガス田から北部の都市へ、国を縦断するガスの
パイプラインを敷いたらコストがかかりすぎるからだ

天然ガスはすえ置き型の
装置での利用に有効だ

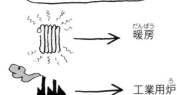

暖房

工業用炉

発電

だが、天然ガスも化石燃料だ。
CO₂排出の一因になる

おまえきたないな！

はあ?!

ばか
言ってるん
じゃないよ

CO₂排出量の11%

CO₂排出量の20%

いずれにせよ、
天然ガスは
原油と同じ道を
たどる

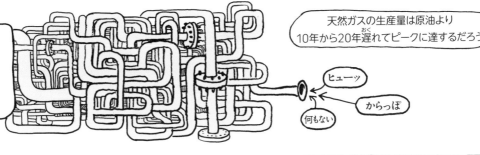

天然ガスの生産量は原油より
10年から20年遅れてピークに達するだろう

ヒューッ

からっぽ

何もない

石炭は
どうなの？

歴史的に見て、
一番古い化石燃料だ

最初は木材にとってかわり、鍛冶場や暖房器具、
蒸気機関に使われた

だが今では、世界の石炭消費の3分の2は
発電に利用されている

現在、世界の電気の40%が石炭で作られている

中国のジョークで、石炭を運ぶ列車が目的地に着くまでに運んでいる石炭が全部なくなってしまう、というのがある

からっぽ　　からっぽ　　ごめんよ

石炭は、それがもたらすエネルギーのわりに重すぎるんだ

石炭を燃やして動く車があったら、自分の燃料タンクを運ぶほどのパワーがなかっただろう

船ならうまく機能する…

…船は水に浮いて進むから

そして列車は…

…レールは摩擦(まさつ)が少ないので

石炭は輸送が大変だから、国際取引のモデルはこれしかない

鉱山

海辺の発電所

海岸近く

だが、この状況はあまりあることではない

石炭は主に発電に利用されるので、発電所は鉱山の近くにある

石炭消費もピークになるんだろうか？

石炭に関していえば、不足することは一番の心配ごとではないんだ

本当に心配するべきことは、もっともCO₂排出量の多いエネルギー源として、気候に大きく影響を与えてしまう可能性だよ

石炭がなくなる心配をするより先に、ぼくたちが干上(ひあ)がってしまうだろう

世界には石炭がたくさんあるが、その4分の3以上を埋蔵しているのはわずか5ヶ国だ

アメリカ　中国　ロシア

オーストラリア　インド

ぼくたちは石炭から合成石油を作りだす方法を知っている。だがそれは質の悪い燃料だ。おまけに合成の過程で、石炭の半分が消費されてしまう

ヒトラーは〈バトル・オブ・ブリテン*〉で、戦闘機の燃料に合成石油を使った

ハハ！

イギリス空軍のスピットファイア戦闘機はアメリカから供給される質のいい石油で飛行していた

ドイツのメッサーシュミット戦闘機はそれでも有能だったが、良質な燃料のおかげでイギリス機は圧倒的に有利だった

くそっ
シャイセ！

原油もそうだが、石炭も埋蔵されている場所が深いほど質がいい。地中の深い所で、より長い期間"加熱されている"からだ

地表に近い所の石炭は二流

現在ドイツで開発が進んでいる褐炭がこれに当てはまる

褐炭は大部分が発電に使われている

だが採掘のために、家も、森も、畑もすべてを壊さなければならなかった

世界の発電量の64％が化石燃料から作られている

石炭　38％
天然ガス　23％
石油　3％

この3つで地球規模でのCO₂排出量の40％（33％は石炭から）

おれが一番きたないんだぞ！

近年、化石燃料の利用はものすごい比率で増えてきた

負け犬め！

*第2次世界大戦中のイギリス軍との空中戦。ドイツ軍は大敗を喫した。

気 候
LE CLIMAT

どうなってるの？ 教えて！

太陽にある水素原子は熱運動によって激しくぶつかり合い、核融合反応を起こしている。この反応で発生するエネルギーの一部が地球に届いて熱をもたらす

一方で、地球は冷える時に赤外線という形でエネルギーを放出している

温室効果ガスは、赤外線を吸収・放出する性質があり、地球が出した赤外線が宇宙空間に逃げにくくしているんだ

ここでストップ！

つまり（温室効果ガスは）熱エネルギーを地表近くに閉じこめているわけだ

温室効果ガスって、そもそも…？

なくてはならない気体だよ。大昔から存在していて、地球で生き物が存在するのに最低限必要な気温を保つ役目をはたしている

おれさまがいなければ、人間は存在さえしなかったんだぞ

地球の日陰側は、太陽放射の熱だけでは十分な温かさを保てない

けど、この気体の濃度が高くなりすぎると、温室効果が増大して、一気に気候が変わってしまい、生き物は適応できなくなるんだ

人間は主に3種類の温室効果ガスを排出している

まずは二酸化炭素、つまりCO_2だ

そのうち、およそ85%は化石燃料の使用によるもの

10%は森林伐採

5%はセメント製造

そのうちの3分の2は石灰石を焼いた時の化学反応から、3分の1は炉を加熱する燃料から生じる

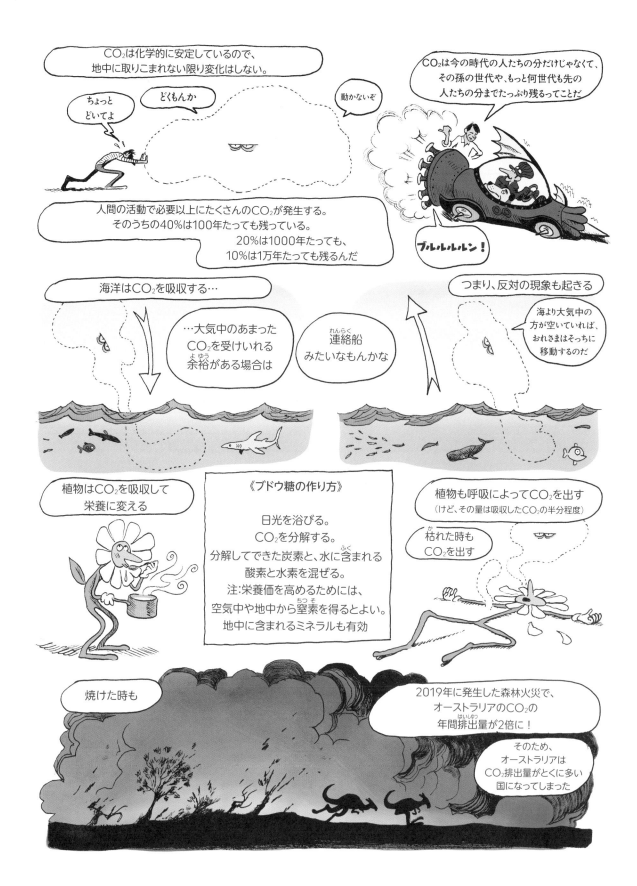

水蒸気も温室効果ガスの一つ、
ほとんどが自然に発生したものだ

地球の表面の70%は海なので、
海は巨大な蒸発装置となる。それに比べれば、
直接、人間が出す水蒸気などたいした量じゃない

だけど、人間は間接的に影響を与えている。地表の温度が
高くなるほど、発生する水蒸気の量は増えるからだ

気温が高くなるほど、大気中の水蒸気の量は増える

水蒸気は
どのくらいの間、
大気中に
留まるの？

ほんの数日だけど、
新しい水蒸気が
つねに発生している

温室効果が
増大し、その結果、
気温はもっと
高くなる

気温が上がれば上がるほど、
さらに気温が上がる──
悪循環なんだ

大気中のCO₂が増えて、
地上の平均気温が1.5℃上がったとすると…。
水蒸気はその温暖化をさらに増幅させ、
平均気温を4℃上昇させてしまうんだ

だけど、大気は無限に
水蒸気を含み続ける
わけじゃない。ある時点で
水に変わるからね。
それが雨だ

そうだね。でも、雨は
必ずしも人間が住んでる所に
降るわけじゃない

恵み
の雨

暴風雨がひどくなる

なのに雨の降らない季節の日照りも
きびしくなる

喉が
からから
だ～

雨は大地にしみこみにくくなる。
また、森林伐採のせいで、土は雨をためておく力が
なくなり、雨は地表を流れるようになる

気温が高くなる
ほど、蒸発する水の
量も増える

ずっと雨が降って
いても、土のなかの
水分はあまりない
ってことだ

どこでも同じじゃないんだ。北極と南極は他よりも
早く気温が高くなる

例えばシベリアの3月の平均気温。2020年は、
1950〜80年に比べると8℃も高くなってる！

北極でも
2020年3月の
最高気温で
25℃を記録
している。
それまでの
最高記録は
13℃だったのに！

世界の平均気温は
1.2℃上昇している。
ところが、フランスでは
1.5℃も上昇

陸上の気温の上昇は、海面に比べると、1.5倍から2倍も速く進んでいる。
このまま地球温暖化が進むと、陸上の気温は5℃から10℃上昇するだろう

水だ！
水のある所に
連れていって
くれ！

異常気象が発生すると、気温上昇はさらに
激しくなる

熱波によって最高気温はそれまでより4℃も上昇する。
そして熱波の発生回数は増え、その期間も長くなる

熱波とは正反対の現象も発生する。熱波の方が
ひんぱんに発生するだろうけれど、季節はずれの寒波も
やってこないわけじゃない

言いかえるなら、気温の変化が極端になる
ってことだ

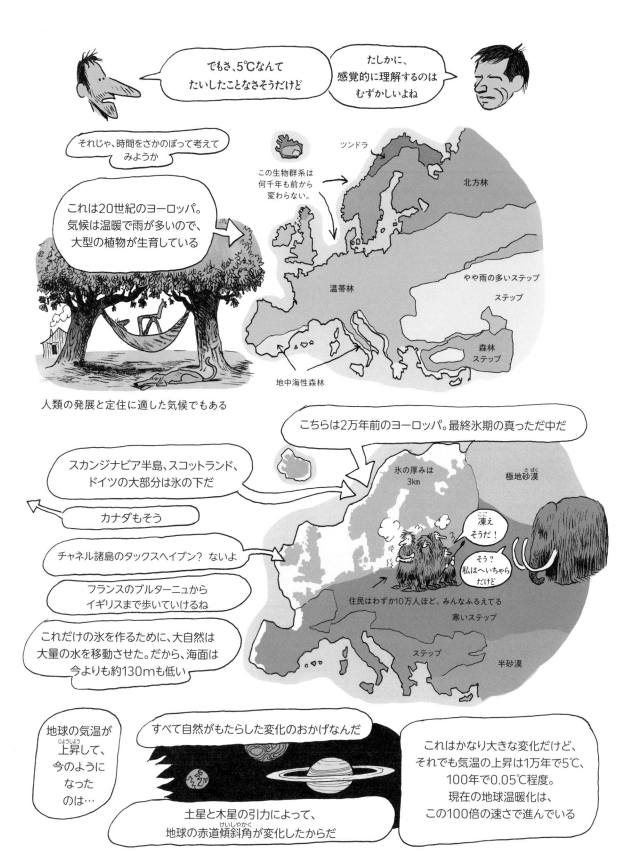

でもさ、5℃なんてたいしたことなさそうだけど

たしかに、感覚的に理解するのはむずかしいよね

それじゃ、時間をさかのぼって考えてみようか

この生物群系は何千年も前から変わらない。

ツンドラ

北方林

これは20世紀のヨーロッパ。気候は温暖で雨が多いので、大型の植物が生育している

やや雨の多いステップ

ステップ

温帯林

森林ステップ

地中海性森林

人類の発展と定住に適した気候でもある

こちらは2万年前のヨーロッパ。最終氷期の真っただ中だ

スカンジナビア半島、スコットランド、ドイツの大部分は氷の下だ

氷の厚みは3km

極地砂漠（さばく）

カナダもそう

ここ凍えそうだ！

そう？私はへいちゃらだけど

チャネル諸島のタックスヘイブン？　ないよ

フランスのブルターニュからイギリスまで歩いていけるね

住民はわずか10万人ほど。みんなふるえてる

寒いステップ

これだけの氷を作るために、大自然は大量の水を移動させた。だから、海面は今よりも約130mも低い

ステップ

半砂漠

地球の気温が上昇（じょうしょう）して、今のようになったのは…

すべて自然がもたらした変化のおかげなんだ

これはかなり大きな変化だけど、それでも気温の上昇は1万年で5℃、100年で0.05℃程度。現在の地球温暖化は、この100倍の速さで進んでいる

土星と木星の引力によって、地球の赤道傾斜角（けいしゃかく）が変化したからだ

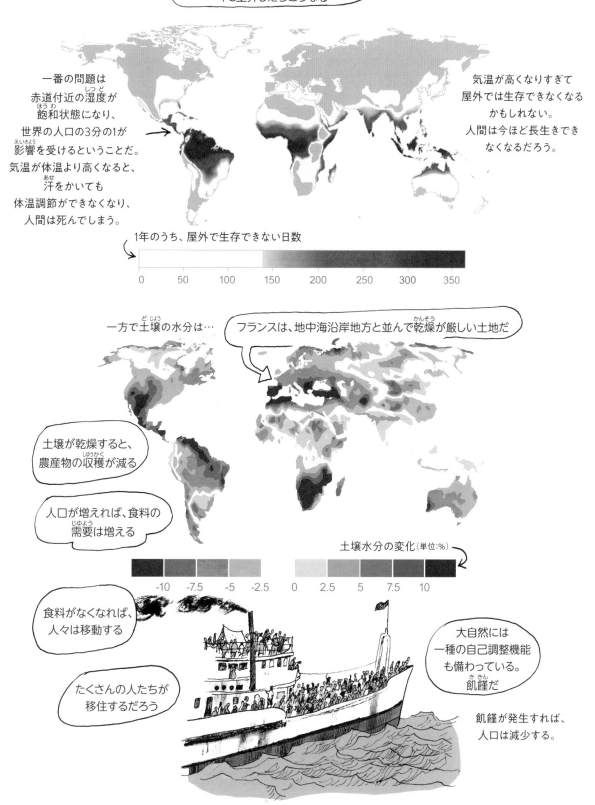

現在と比べて平均気温が
4℃上昇したらこうなる

一番の問題は
赤道付近の湿度が
飽和状態になり、
世界の人口の3分の1が
影響を受けるということだ。
気温が体温より高くなると、
汗をかいても
体温調節ができなくなり、
人間は死んでしまう。

気温が高くなりすぎて
屋外では生存できなくなる
かもしれない。
人間は今ほど長生きでき
なくなるだろう。

1年のうち、屋外で生存できない日数

0　50　100　150　200　250　300　350

一方で土壌の水分は…

フランスは、地中海沿岸地方と並んで乾燥が厳しい土地だ

土壌が乾燥すると、
農産物の収穫が減る

人口が増えれば、食料の
需要は増える

土壌水分の変化（単位:%）

-10　-7.5　-5　-2.5　0　2.5　5　7.5　10

食料がなくなれば、
人々は移動する

大自然には
一種の自己調整機能
も備わっている。
飢饉だ

たくさんの人たちが
移住するだろう

飢饉が発生すれば、
人口は減少する。

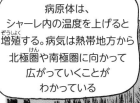

病原体は、
シャーレ内の温度を上げると
増殖する。病気は熱帯地方から
北極圏や南極圏に向かって
広がっていくことが
わかっている

CO_2が多く溶けた海は酸性になり、プランクトンの外骨格の形成や貝の石灰化を阻む。
海洋生物の25％が生息するサンゴ礁も被害を受けるので、海洋生物はさらに厳しい環境で生きていくことになる。
しかも、環境の悪化と並行して、大規模な漁業も行なわれている

グリーンランドの氷はすでに解け始めている。
温暖化は急には止められない

氷が解ければ、海水面は上昇する。
沿岸の町は部分的に浸水するだろう

たしかにね。けど、それは何世代も先のことだ。
長い時間をかけて変わっていくわけだから、
人間はそれに適応していくんじゃないかな、ちがう？

海水面はすでに上昇し始めている。
強烈なハリケーンや巨大台風といった異常気象のために、海が提防や砂丘を越えて被害は拡大する。
2100年には、このような災害が現在の100倍の頻度になるかもしれない。ハリケーン・カトリーナ*がいい例だ

さらに、海水には塩分が含まれるので、沿岸の
帯水層（地下水を多く含む地層）は塩の被害を受ける

＊2005年8月にアメリカ南東部を襲い、甚大な被害をもたらした。

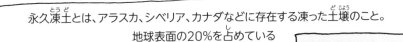

永久凍土とは、アラスカ、シベリア、カナダなどに存在する凍った土壌のこと。
地球表面の20%を占めている

この永久凍土が解け始めている。
CO$_2$とメタンが放出されているが、その量が
どのぐらいになるのか、今の段階では
まだ正確に予測できていないけど…

…地球温暖化を加速
させるのはまちがいない

それに永久凍土にはウイルスが
眠っている可能性がある

永久凍土が解けることで、未知の病気が大流行し、
世界中が大混乱におちいるかもしれない

おまけに、
鉱物や原油の採掘施設など、
永久凍土の上に建てられた建物も、
土台がぐらついて不安定になる。
2020年5月、ロシアの
ノリリスク・ニッケル社が運営する
火力発電所の燃料貯蔵タンクが
こわれ、2万トン以上の
軽油燃料が流出。
周辺の環境を汚染した

これは北極圏で起きた過去最大の
環境災害となった

で、最初に起きるのは
どの災害？

それはいつごろ？

それはだれにも
わからないよ

人類は、これまでだれも
上陸したことのない海岸に
立ちいろうとしているんだ

いくつもの要因が複雑に
関係しあってるしね

けど、科学がすべての
危険性を解明するのを
待って、それから慌てて
対策をたてるんじゃ、
手遅れになっちゃう

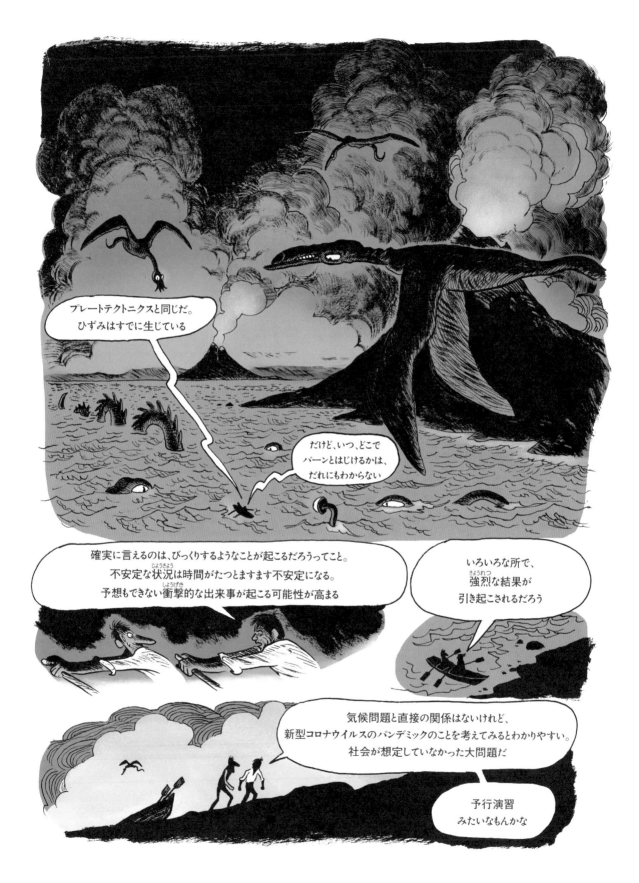

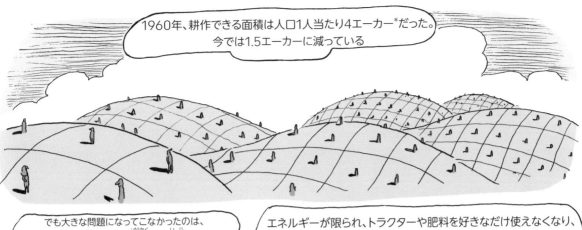

1960年、耕作できる面積は人口1人当たり4エーカー*だった。
今では1.5エーカーに減っている

でも大きな問題になってこなかったのは、
トラクターや肥料のおかげで収穫量が維持されていた
からだけど…

ぜんぜん
問題
なしだよ〜

エネルギーが限られ、トラクターや肥料を好きなだけ使えなくなり、
さらには気候が農業に適さなくなったら？

IPCC（気候変動に関する政府間パネル）の報告書「気候変動と土地」によると、
地球温暖化が約2℃進むと、地球のあちこちで食料安全保障上の問題が
生じるとされている。

2040年までにフランス中部の森林では、干ばつ、病気、火災、
地球温暖化によって蔓延した害虫などの原因で多くの木が枯れる、と予想されている

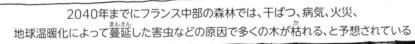

温室効果が
進むと、
熱は大気圏の
下の方にたまり、
成層圏を温める
ことができなく
なる

50km

成層圏

12km

対流圏

0km

地球

成層圏と
地表の温度差が
大きくなると、
異常気象が
ますます増える

サイクロン、ハリケーン、
そしておそらく雷雨も、
これまでより激しくなる可能性がある

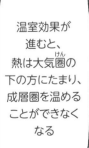

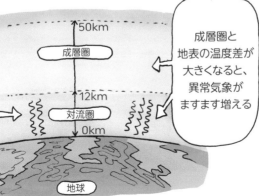

＊1エーカーは約1200坪の広さ。サッカーグラウンドおよそ1つ分。

2万年かけて気温が何度か上昇しただけで、地球の姿は大きく変わった。
100年間で同じだけ上昇した場合、地球の姿はどう変わってしまうだろう？
しかも、不測の事態に対応できる手段——アイアンマンの飲み物——が
どんどん減っていくことが予想されるのに

アメリカでは1つのハリケーンで約1500人が死亡、バングラデシュでは1つのサイクロンで
約14万人が死亡している。急激に温暖化が進んでいるからだ

エネルギーが豊富にあれば、治安を維持し、救助を行ない、人々を避難させ、
食料を提供し、短期間で住宅を再建するなど、復興を支援することができる

機械を使って不測の事態に
対応することも可能だ

けれども、資源が限られてくれば、
世の中は野蛮な時代に逆戻りする

私は子どものころ『マッドマックス』は
好きじゃなかったな

平和と民主主義が
破壊され、
人々は十分な食料を
調達して生きぬく力を
失ってしまうかもしれない

実際のところ、その兆候はすでに現れている

例えば、2010年に起こった"アラブの春"だ。
背景には3つの要因がある

地中海沿岸で干ばつが起こり、
増加する人口に地元の農業では対応できなくなったこと。
しかも、この干ばつはその後もひどくなる一方だしね

2008年の金融危機のせいで
観光客が激減したこと。
また、チュニジアとエジプトでは輸出による
収入が減少したこと

世界の穀物の2割を生産している
ロシアが干ばつにみまわれ、
さらに原油の価格も高騰したため、
輸入食料の価格が上昇したこと

つまり、経済的な圧力が食糧不安をあおり
暴動をまねいたんだ

このような混乱は、もっと頻繁に起こるようになるだろう。
2018～19年にかけては、これまで経験したことのないほど
ひどい渇水が発生した

2019年には
いろいろな作物の収穫量が大幅に
減ったんだ

フランスでは、
2018年にドゥー川*
の水が干上がって
しまった

121

＊フランス東部を流れる全長430kmの川。

フランスの森はすでに深刻な被害を受けている。木が弱くなってきているんだ

森林が乾燥すれば大規模な火災が発生しやすくなる。カリフォルニアやオーストラリアに限らず

これまでに排出したCO₂が大気中に留まるため、今後20年間は気候変動を止めることができない

すくすく成長中

アイアンマン、助けて！

アイアンマンさえいてくれれば…

雨が降らない所でも、かんたんに水を引ける

貯水槽を建設してつねに水を溜めておける

食料品を生産地から消費地まで運べる

その土地の気候に適した樹木を植えられる

空いている建物を有効利用して、人口を移動させられる…

海辺の住居も守れる

ところが、2つの問題にぶつかる。エネルギーを使えば環境が汚染される。そして使えるエネルギーも減っていく

山のようなゴミ

戸棚は空っぽ

2018年末までのCO₂の総排出量は2兆2500億トン。そのせいで地球の気温はすでに1.3℃上昇している。

この地球温暖化がどのぐらい厳しいものになるかは、2100年までの累積排出量にかかっている。

気温上昇を2℃以内におさえたければ、おれさまの体重を3兆トンまでに制限することだ

ってことは、あと7500億トンだぞ

できるかどうかは人間しだい

おれさまは目には見えないが、体重増加の影響はでかいぞ

7500億トンは、総排出量のちょうど3分の1だな

だからって、人々の生活の質を落とすわけにはいかんよな？購買力、年金、高等教育を維持しないと

そのためには2050年までに温室効果ガスの排出量を3分の1にしなくてはならない。つまり、1年につき4%ずつ減らしていくことになる

つまり、アイアンマンの飲み物とおやつの化石のから揚げが、毎年4%ずつ減っていくということだ

ええええっ？

そんな、殺生な〜

経済的な影響という意味では、それは毎年、新型コロナウイルスのパンデミックを経験するようなものだ。

うわっはっはっ！

世界の国々は、この危機感を理解しているのだろうか？

正しく理解している大臣や議員はいる？

手遅れになる前にCO₂を削減する方法について、くわしく見てみよう。

はじめまして

？

こんにちは

あ、どうも

名刺かな？

それじゃ

さよなら

？？？

$$CO_2 = \frac{CO_2}{E} \times \frac{E}{GDP} \times \frac{GDP}{POP} \times POP$$

これですべての問題が解決するわけ？

いや、これは解決のためのヒントなんだ

あの人は茅陽一さん。これは茅恒等式といって、茅さんが考えだした計算式なんだ

$$CO_2 = \frac{CO_2}{E} \times \frac{E}{GDP} \times \frac{GDP}{POP} \times POP$$

CO₂

人間の活動によって地球上に排出されるCO₂の総量

CO₂／エネルギー

エネルギー消費当たりのCO₂の排出量。つまり、低炭素化の度合い

エネルギー／GDP（国内総生産）

GDPを稼ぐために必要なエネルギー量。つまり、経済活動のエネルギー効率。

GDP（国内総生産）／人口

国民1人当たりのGDP。つまり、平均的な生活水準

人口

よう、また会ったな

いいかい、目標は2050年までに温室効果ガスを3分の1にすることだ

問題はその方法だ

人口を3分の1に減らす、とか？

飢餓と病気が蔓延すれば人口は減る。戦争は飢饉と病気の蔓延を招きがちだけど、戦争だけではそれほど人口は減らない。1918年に大流行したスペイン風邪は、第二次世界大戦より多くの死者を出した。14世紀に大流行したペストではヨーロッパの人口が半分に減ったと言われている。人口を減らす、というのはなかなか険しい道のりだ

避妊という方法もあるけど

デリケートな問題だから…

触れない方がいいね

人口統計学的な予測によれば（あくまでも予測にすぎないんだけど）、人口は30年以内に1.2倍になる。致命的なパンデミックでも起きないかぎりはね

あるいは、隕石が衝突しないかぎりは

つまり、茅さんの計算式の人口以外の項目の数値を、3分の1ではなく、もっと減らさなくちゃならないってことだ…。まずは1人当たりのGDPから。これに賛成の人ってどのぐらいいるだろう？フランスを例にとると、今の年金制度を維持するには、経済が毎年2%ずつ成長していかなくてはならないんだ

経済成長
経済成長
経済成長
成
経済成長
経済成長
経済成長
経済成長
経済成長
経済成長
経済成長
経済成長
経済成長

ドシンッ
KRAK

GDPが増えることで迷惑(めいわく)するのは私よ。
自然が破壊(はかい)されるんだもの。あなたたちは豊かになっていると
思っているけど、本当は貧しくなっているんですから

マクロ経済学の考え方を捨てなさい。
GDPだけが成長をはかる指標ではないの

かくなる上は、専門家の知恵(ちえ)をかりて人口以外の項目の数値を思い切って10分の1にするしかないかもな…。つまり、エネルギー効率を上げるということだ

$\dfrac{CO_2}{E}$ × $\dfrac{E}{GDP}$　急げ！

急げ！

入力するぞ!!

急げ！

もうおわかりだろう。
現状のまま排出量(はいしゅつ)を減らそうとすれば、
人間の活動が制限される。
豊かさを失い、
社会の不安定化を招く(おそ)恐れもある

どうすればいいんだ？

私の辞書に「ゆっくり」という言葉はないぞ

自然界が必要としているCO₂の排出量を減少させようとすると、今の生活水準を自由に楽しめなくなる

個人の自由のこととなると議論は白熱するものだ。職場の近くに住む都会の住人と、車で通勤しなければいけない郊外の住人の間には対立がある

そんなの知ったことか！

格安チケットで世界をまたにかけて飛び回ってるもんね

この変人！

排ガス、まきちらしやがって！

化石燃料の恩恵(おんけい)を享受(きょうじゅ)するのは、個人の自由

現代の都市は、車による車のための町だからね。
「車なんか乗るな」と言われたら「そりゃ不公平だろ！」
とどなり返したくなるよね

非化石エネルギー

Les énergies non carbonées

覚えていると思うけど今の所、風力や太陽光、水力に原子力といった非化石エネルギーは、それ以外のエネルギーに置きかわってはいない

風力や太陽光は"よい"エネルギーの象徴だ。ただし、まだ新しく、世界でも太陽光は1.3%、風力は2.3%しか利用されていない

"よくない"エネルギーへのほんの付け足し程度さ

しかも、その"よくない"エネルギーの消費量は、このままだと増え続けるばかりだ

よい

よくない

よくない

よくない

昔話に出てくる〈青ひげ〉みたいなもんだよね、女たちを次々に殺しながらも…

♪

…寄付したりしてね

貧しい人たちにこれを…

感謝します、閣下

再生可能エネルギーの開発は、目覚ましい進歩をとげつつある。風力タービンは風車が進化したものだし、家庭向けの太陽光発電なんて1970年代の初めごろまではなかったしね。でも、たくさんの資源と空間が必要だから、一般に普及しているとは言えない

スマホの充電をさせてもらえませんか？

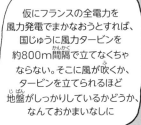

仮にフランスの全電力を
風力発電でまかなおうとすれば、
国じゅうに風力タービンを
約800m間隔で立てなくちゃ
ならない。そこに風が吹くか、
タービンを立てられるほど
地盤（じばん）がしっかりしているかどうか、
なんておかまいなしに

頭の上に風車がある
場所で一生をすごす
人生だ

タービンが立ってない場所
なんてないんだからね

発電には2種類ある

需要に応じて
供給される
調整可能な
発電と

ビールを冷やして
おくために

膝（ひざ）の手術の
ために

外的条件を
満たした場合
にのみ供給される
調整不可能な
発電だ

無風

なまぬるい
ビール

では…
手術はまた明日にでも。
今日は高気圧に
覆（おお）われてますからね

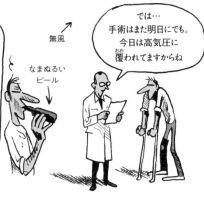

ドイツが100%、
再生可能エネルギーを
使うことにした場合…

太陽光や風力が
使えない
場合に備えて、
調整可能な
発電が
必要になる。

調整可能な発電の一つに水力発電がある。
貯水池の栓（せん）をあけて水を流し、
タービンをまわすことで電気を作るんだ。
ただ、ドイツには山が少ないから、
巨大（きょだい）な海水の貯水池を海岸沿いにでも
作らないことにはね…

予備として2週間分の発電量を考えたら、
そのダムはこんな感じかな

海岸線に沿ってずうーっと、
高さ150mのダムが続く

使うのはウラン235だ

ウランは地球上に自然に存在している原子のうちの1つで、なかでも最大級の原子核を持っている

ウラン235の原子核は92の陽子と143の中性子からなる。

ウランは高密度だ。同位体のウラン238はウラン235と違って核分裂を起こしにくく安全だから、船を安定させる重しに使われていたこともある。その後、ウランは恐ろしいという理由で、鉛が使われるようになった。

めちゃくちゃ重いよ！

ウラン235に中性子1個をちょうどいい速度で衝突させると、ウラン235の原子核は…

…その中性子を吸収して

ごっくん！

消化不良を起こす

そして、核分裂して…

ピキッ

放射線と熱を放出する

それと、2〜3個の中性子も…

…で、その中性子が、また別の原子へと突進して、連鎖反応が起こる

核分裂によって大量のエネルギーが放出されるんだ

1gのウランが生みだす熱エネルギーは…

石炭なら約3トン分

石油なら約1.7トン分にあたる

ちょろいもんさ

安定した核分裂反応を起こすためには、飛び出した中性子の1つだけが次の核分裂を促すようにすることだ

安定した？

制御できてるってことだよ

どうやって？

制御棒というものがあって、これが余分な中性子を吸収してくれるんだ

制御棒

中性子

ぱくり

わあーっ

あわてない、あわてない

フランスの原子炉では、効率的に核分裂反応を行なうため、
ウラン235を3%強含んだ燃料を使用している。天然ウランに含まれるウラン235はわずか0.7%
だから、濃縮しなくちゃならない

こんな
機械でね

濃度3%では、
爆発する危険性はない。
原子爆弾となるには、
90%以上にまで濃縮する
必要があるんだ

原子力発電所というのは、基本的には、蒸気を発生させてタービンを回す、
複雑なしくみの大きなやかんなんだよ

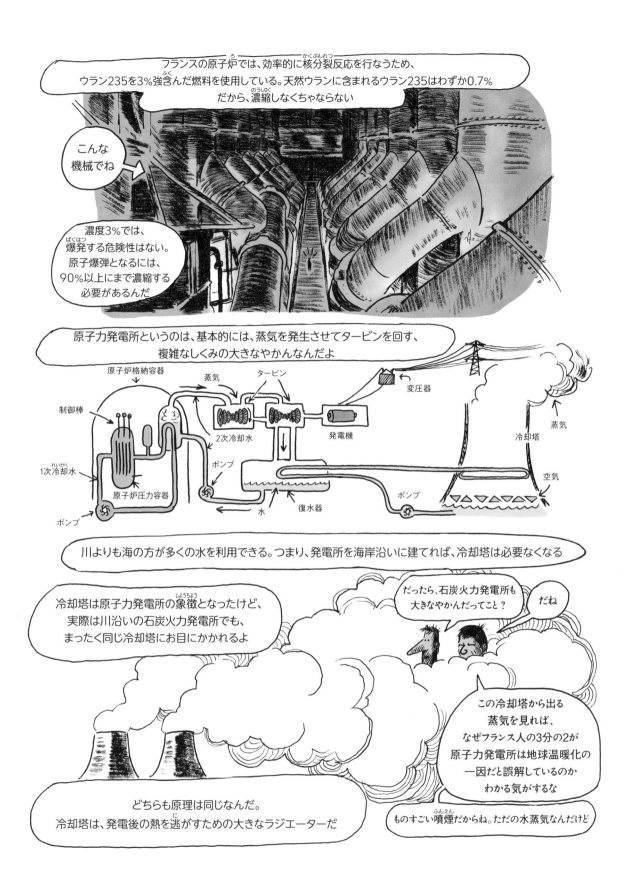

原子炉格納容器

蒸気

タービン

変圧器

制御棒

2次冷却水

発電機

蒸気

冷却塔

1次冷却水

ポンプ

空気

原子炉圧力容器

ポンプ

水

復水器

ポンプ

ポンプ

川よりも海の方が多くの水を利用できる。つまり、発電所を海岸沿いに建てれば、冷却塔は必要なくなる

冷却塔は原子力発電所の象徴となったけど、
実際は川沿いの石炭火力発電所でも、
まったく同じ冷却塔にお目にかかれるよ

だったら、石炭火力発電所も
大きなやかんだってこと？

だね

この冷却塔から出る
蒸気を見れば、
なぜフランス人の3分の2が
原子力発電所は地球温暖化の
一因だと誤解しているのか
わかる気がするな

どちらも原理は同じなんだ。
冷却塔は、発電後の熱を逃がすための大きなラジエーターだ

ものすごい噴煙だからね。ただの水蒸気なんだけど

風力発電と
太陽光発電に、
いいイメージが
あるのは…

…もっとも自然に
思える方法で
エネルギーを
得ているから。

1ギガワット(100万kW)の原子力発電設備

3.5k㎡

1ギガワットの太陽光発電設備

150k㎡

コンパクトなエネルギー。ごく少量の物質によって
多量のエネルギーが生みだされる

場所をとるエネルギー。
広いスペースが必要となるため、森林や農作地、
保護区などが侵食(しんしょく)される

大きな設備が必要となるため、
風力や太陽光発電では、kWh(キロワット時)あたり
原子力発電の10倍以上の金属が必要になるし…

…セメントも5倍から10倍ぐらい必要だ

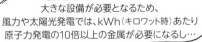

15~22m

3~4m

風力タービンはコンクリートの基礎(きそ)で
地面にしっかり固定されている。
タービンが取りはずされた後も、
この基礎は残ったままのこともある。

原子力発電には、ウランを採掘する鉱山、ウランを濃縮するエネルギー、発電所を建てるコンクリートが必要だ。それでも、とてもコンパクトなエネルギーだから、最終的には、kWh（キロワット時）あたりのCO_2排出量はとても少なくなる

発電所には、〈設備利用率〉という考え方がある。例えばある天然ガス発電所、あるいは石炭火力発電所の通常の年間発電量が、その発電所の最大能力の半分で発電し続けるのと変わらない量だった場合、その設備利用率は50%となる

ブルルルルーン

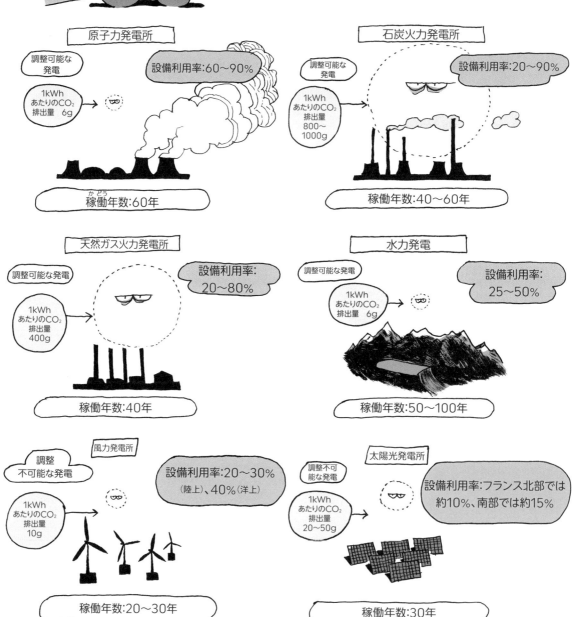

原子力発電所

調整可能な発電

1kWhあたりのCO_2排出量 6g

設備利用率:60〜90%

稼働年数:60年

石炭火力発電所

調整可能な発電

1kWhあたりのCO_2排出量 800〜1000g

設備利用率:20〜90%

稼働年数:40〜60年

天然ガス火力発電所

調整可能な発電

1kWhあたりのCO_2排出量 400g

設備利用率:20〜80%

稼働年数:40年

水力発電

調整可能な発電

1kWhあたりのCO_2排出量 6g

設備利用率:25〜50%

稼働年数:50〜100年

風力発電所

調整不可能な発電

1kWhあたりのCO_2排出量 10g

設備利用率:20〜30%（陸上）、40%（洋上）

稼働年数:20〜30年

太陽光発電所

調整不可能な発電

1kWhあたりのCO_2排出量 20〜50g

設備利用率:フランス北部では約10%、南部では約15%

稼働年数:30年

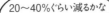
電気を貯蔵する時、量は減ったりするの？

20〜40％ぐらい減るかな

だから貯蔵に必要な製品も資源も、その分余計に必要になる

蓄電池（ちくでんち）を作るとなると、さらに製錬（せいれん）と加工も必要になる

だけど電力を貯蔵するためには作らざるをえない。

↑
貯蔵と放出の際のキロワット時あたりのCO_2排出量は50〜100g。

原子力発電が効率的だってことはわかったよ。でも…

実は子どものころ、祖父母の家はフランス中北部のダンピエール原子力発電所の近くだった

原発事故のせいで避難区域（ひなん）になって、逃げ（に）なくちゃならないって悪夢を繰り返し見た。夢の中では、なぜか忘れ物を取りに1人でそこへ戻（もど）らなきゃならないんだ…

走りに走って…

何も感じないし…

何も見えないんだけど、被曝（ひばく）だけはしたくなかった…

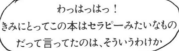
わっはっはっ！きみにとってこの本はセラピーみたいなものだって言ってたのは、そういうわけか

あのさ…ジャン＝マルク、放射能ってなんなんだい？ほら、あの目に見えない光線が体を通りぬける時に、いったいどんなことが…

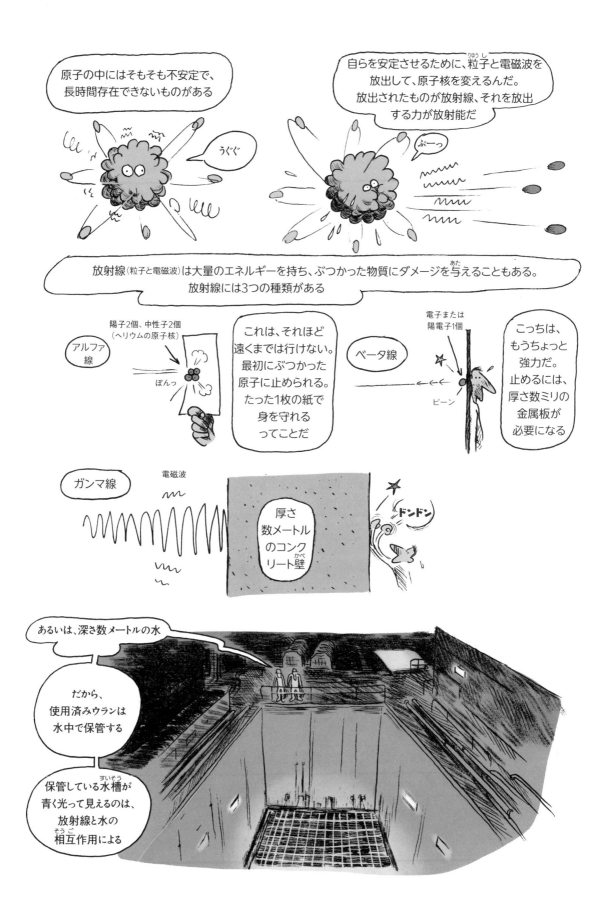

放射線が人に与える影響の大きさは、シーベルトという単位で表される

フランスでは、自然放射線は1000分の数シーベルト(Sv)

自然放射線

年間で3mSv(ミリシーベルト)

ひゃあ！

ご心配なく。この程度じゃ、まったく無害だ

高い所に行くほど、宇宙(放射)線を受けることになる

航空会社の乗務員は、年に5〜20mSv浴びている

でも、まだ問題ないレベルだ

宇宙ステーションでは、大気に守られることはない。国際宇宙ステーションのクルーだったトマ・ペスケは、放射線をもっともたくさん浴びたフランス人の一人といえそうだ

どうってことないさ！

まだまだいけるよ！

6か月間の宇宙滞在で180mSv

岩石には、もともと放射性物質が含まれるものも多い。例えば、花崗岩土壌のブルターニュ地方に住む人々は、より多くの放射線にさらされている。といってもほんのちょっぴりだ

トリウムを含むモナザイトの砂は、花崗岩土壌より多くの放射線を放出する。インドのケララ州に住む人々は、年に50〜100mSvの放射線を浴びている

でも住民の平均寿命は、インドのどの地域より高い

1回のCTスキャンで浴びることになるのは10〜20mSv

死ぬ可能性が出てくるのは、5〜10Svくらいからだ

うわっ

だけど、毎年100mSvを下回っていれば、長期的に見ても心配はない

光ってはいないぞ！

時には、高線量の放射線で病気を治療することもある。放射線治療では、数十から数百シーベルトを患部に照射して腫瘍細胞を死滅させるんだ

発電所周辺ではたしかに放射線量は増えるけれど、それって0.02mSvぐらいなんだ

でも、爆発（ばくはつ）したら？

チョルノービリで、どんなことが起こったか、覚えているよね？

この原子炉（ろ）は、そもそも危険な型だったんだ

ほら、中性子がウラン原子核にとらえられて核分裂（かくぶんれつ）を起こすには、速度を落とす必要があるだろう？

例えばピーナッツを食べるのに、パチンコで飛ばしたりはしないよね。

フランスや世界のほとんどの国にある、新しい型の原子炉とは、まるで違（ちが）う

ウラン原子核
中性子ピーナッツ

一般的な加圧水型原子炉

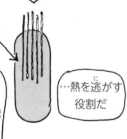

水には2つの役割がある

中性子を吸収できるように、"減速する"役割と…

…熱（ねつ）を逃がす役割だ

これは事故発生時の被害（ひがい）を最小限に抑（おさ）える、いわゆる"パッシブ・セーフティ*"な設計だ。万一、冷却水（れいきゃく）がなくなった場合は（例えば、漏（も）れたりして）、中性子の速度が落ちずに通り抜けてしまうため、核分裂は止まるんだ

チョルノービリ型原子炉

こっちは、2つの機能がそれぞれ独立している

減速材として黒鉛（こくえん）が使われていた

原子炉を冷却する水がなくなっても、減速材がそのままあれば、核分裂反応を制御できなくなり、過熱する。パッシブ・セーフティは機能しなくなってしまう

その上、制御棒（せいぎょ）には設計上の欠陥（けっかん）があった

Это что за херня？

「なんだ、これは？」

悪魔の原子炉って感じだな！

以前はフランスにも黒鉛炉があったんだけど、だいぶ前に閉鎖（へいさ）されたよ

そもそもどうしてそんなものが作られたんだい？

*事故が起きた際、被害を最小限に留（とど）めるための安全技術のこと。　　138

こういった原子炉が作られたのは、そこで兵器級プルトニウムを製造するためだったんだよ

その"高品質な"プルトニウムを得るには、絶えず核燃料の出し入れができなくてはならないから、必然的に安全措置が排除されることになる

フランスの原子炉には、そんなふうに兵器を製造できる機能はない。12〜18か月ごとに、燃料の入れ替えをしていて、その時は1〜2か月間、運転を停止する

チョルノービリでは、通常とは異なる状況下での原子炉の動きを調べるために、安全装置を停止するよう、運転員に指示が出されていた

ええっ、なんでそんな危険なことを？

実験はうまくいかず、核分裂反応を制御できなくなった

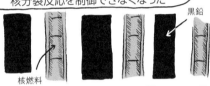

黒鉛

核燃料

ウランのペレットが入った管の金属（ジルコニウム）は、超高温の蒸気と反応して大量の水素を発生させ、水素は原子炉格納容器内にたまっていった

そして空気中の酸素と混じりあい、爆発性混合物を形成した

ボンッ！
БУМ！

爆発すると、黒鉛と溶融炉心がむき出しになった

黒鉛は空気に触れて発火した。その火によって炉心の一部が気化し、数キロメートル上空まで上がったんだ

フランスの原子力発電所では起こるはずがない事故だ。理由は2つ

① 炉心に黒鉛は入っていない

② 〈水素再結合装置〉が付いている

格納容器内に水素が発生しても…

ちょっと待った！

酸素と再結合させて…

水素　酸素

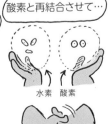

水にするんだ

死者は何人だったの？

UNSCEARって知ってる？

それじゃ、IPCCは？

？

そこでは人間の活動が気候に及ぼす影響について、科学論文で発表されたあらゆることを総合的に考えるんだ

アン…なんだって？

〈気候変動に関する政府間パネル〉だよね

すばらしい！

1988年に設立された国連の組織だろう？

気候に関する研究はさかんだから、世界各国で何千という論文が、論文審査のある専門誌に発表されている

当然、そのすべてに目を通せる人なんていないよね

それをまとめるのが、IPCCの役目だ

何千ページもある報告書に…

うぐぐぅ…

…技術の要約の部分だけで100ページもあるし…

…政策決定者向けに数十ページの要約までついてる

UNSCEAR
（原子放射線の影響に関する国連科学委員会）は、放射線に関して同じことを行なっているんだ

そこの報告書もすごいページ数？

まあ、そうだね

医師や生物学者は、このテーマについて100年以上も前から研究を続けている

UNSCEARは、IPCCより30年以上も前に設立されている。放射線によって被害を受ける可能性があることは、前々からわかっていたからね

マリ・キュリーは、放射線の影響が原因で亡くなっているし

チョルノービリやフクシマの事故についての報告書も作成している

チョルノービリに関していえば、結論は次の通り。短期間での死亡者は約30人。基本的には、最初に消火にあたった人たちだ

事故当時子どもだった人のうち5000人が甲状腺（こうじょうせん）がんを発病した

不幸中の幸いだったのは、このがんには効果的な治療法（ちりょう）があったことだ

それ以外については、意外に思えるかもしれないが、通常範囲（はんい）を超（こ）えた健康上の影響（えいきょう）は出ていない

事故が起きたのは、ソビエト連邦（れんぽう）時代だろう？完全な情報なんて得られたのかな？

曖昧（あいまい）な部分はいくつかあることはあるけど…

後から何度も行なわれた測定の値から、事故当時に見逃（みのが）されていたり、報告されなかったりした要素を査定することはできる

ええっ?!その程度ですむわけないと思うけど？

私も意外に思ったよ

納得するまでに時間がかかったしね

UNSCEARを疑ってみる必要はない？

IPCCの報告書の作成には、何千人もの科学者がかかわっている。石油産業と天然ガス産業は世界でも一、二を争うほどの財力があるけど、そのお金の力をもってしてもそれだけ大勢を買収することはできなかったんだ

その100分の1ほどの財力しかない原子力産業が、IPCCの10〜100倍もの人数の科学者や医師や生物学者を買収できると思うかい？

おまけに、そうした専門家の多くは、原子力産業のない国や、そもそも原子力を保有することに反対している国の出身だよ

じゃあ、チョルノービリの事故は、そこまでひどいものじゃなかったってこと？

とんでもない！

あれは大惨事だよ！

事故そのものの衝撃だけではなく、その後の避難によるストレスは、住民に深刻な影響をもたらした。そのこともUNSCEARの報告書には載っているよ

実際、放射線に対する不安やパニックの方が、放射線そのものより大きな被害をもたらしたんだ

この事故の後すぐに、ソビエト連邦は崩壊した。それによって医療制度が崩壊したこと、ストレスから飲酒や喫煙といった不健康な行動が増えたことで、住民たちの平均寿命も低下したとされている

皮肉なことに、チョルノービリは今では、絶滅の危機にさらされている大型動物のための自然保護区になっている

野生動物にとっては、住民が避難して無人となった場所だから、放射線の影響を割り引くとしても生きていきやすいんだよ

フクシマで
起こった
事故って…？

フクシマの原子炉は、
フランスのものとは
異なる設計で、
加圧水（ふ）の代わりに
沸騰水（ふっとう）を用いていた。
つまり、水の回路が
2つではなく、
1つしかなかった

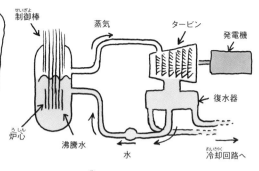

制御棒（せいぎょ）
蒸気
タービン
発電機
炉心（ろしん）
沸騰水
水
復水器
冷却回路へ（れいきゃく）

最初に、激しい地震（じしん）が起こった

原子炉は"自動停止"した。
制御棒（そうにゅう）が挿入されて
核分裂（かくぶんれつ）はすぐに止まったんだ。
ところが、
炉心内部の放射線による
熱は止まらない

運転を停止した1時間後でも、炉心はまだ、
その最大出力の1%にあたる熱を放出していた

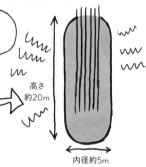

高さ
約20m

内径約5m

1%というけど、
ごく小さな空間に15000台
もの大型ヒーターが詰（つ）めこまれて
いるのと変わらないんだ

これを冷却するには、
水が循環（じゅんかん）し続け
なくちゃいけない

でも、地震のせいで
発電所周辺の
電気システム全体が
使えなくなっていた

そこで、
非常用の
ディーゼル発電機が
作動して
水を循環
させ始めた

ところが、地震発生から約50分後、
津波（つなみ）が発電所を襲（おそ）った

津波の高さは13mだった

ディーゼル発電機は、高さ6mの
波（た）が押し寄せてきても耐えられる場所に
設置されていた。でもこの地域に10mを
超える津波が来る可能性のあることは、
知られていた

非常用の
ディーゼル発電機は
水浸（びた）しになった

144

冷却システムが停止し、
水は蒸発していった。
炉心の一部が水面上に露出（ろしゅつ）して、
非常に高温になった。
やがてジルコニウム被覆（ひふく）に
ひびが入って、
核分裂生成物が漏（も）れだして…

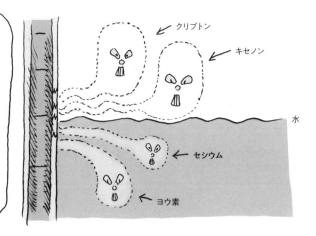

クリプトン
キセノン
水
セシウム
ヨウ素

ジルコニウムは
水蒸気と
反応し、
水素を
発生させる

酸素と出会ったら、
爆発（ばくはつ）しちゃうよ！

原子炉格納容器内の圧力は
上昇（じょうしょう）していた。爆発を防ぐには
減圧する必要があった

原子炉
格納容器
原子炉
建屋（たてや）
原子炉圧力容器

減圧後、
水素は原子炉建屋に流出した

空気
建屋内には
空気がある
空気中には
酸素（ふく）が
含まれている

建屋の天井部分は吹き飛んだ！

放射性物質に汚染（おせん）されたがれきが
辺り一帯に飛び散った

ドドーン

この一連の出来事は、
フランスでは
起こらない

フランスの原子力発電所には
水素再結合装置が備わっているんだ[*1]。

酸素
水素

それに、原子炉格納容器にはサンドフィルターが
付いていて、放射性元素が流出するのを防いでいる[*2]。

止まれ

フクシマの事故後、
フランスでは原子力事故即応部隊（そくおう）（FARN）が創設された

原子力発電所の重要な
システムが故障した場合、
FARNは独自の機器を用いて
緊急（きんきゅう）対応にあたる。

*1・2　福島の原発事故後に制定された新規制基準に基づき、日本においても水素再結合装置やフィルターは必ず設置されるようになっている。

フランスでは、チョルノービリやフクシマのようなことが絶対に起こらないよう、できるかぎりの対策をとっている

原子力産業に携わる人は皆『スター・ウォーズ』のシス卿みたいに、史上最悪の事業を始めようとしてるなんて思っちゃいけない

あのぅ… 設置は完了しました。これで、やつらの目の前で爆発します、ベイダー卿！

シューッ

よろしい

チョルノービリもフクシマも、事故の後の影響は、その地域だけに限定されているって言うのかい？

見すごせないのは、世界に及ぼした心理的衝撃なのだ！

例えばフクシマの事故の後、ドイツの人たちが示した反応は、これまでの原発事故すべてを合わせたより何千倍も破壊的だってことが、いずれはっきりするよ

ナイン
お断り！

即時的影響
不安

水蒸気
それだけ

即時的影響：
微粒子汚染、森林破壊、生物多様性の喪失
（褐炭や石炭の採掘による）

長期的影響：
地球温暖化、海洋の酸性化、作物生産量の減少、サンゴ礁の死滅など

Wir haben auch Windkraftanlagen.*

Ja!

フクシマの事故後、ドイツは原子力発電を停止し、褐炭や石炭を使う火力発電に切り替えた。原子力発電を継続していれば、2021年末までにCO_2の排出量を8億トン減らすことができていたはずだ。その量は、ドイツの1年間の排出量にあたる。

＊「私たちには風力もあります」「そのとおり！」

原子力発電は、飛行機を使って移動することに似ている。いったん事故が起こると、注目を集め、恐怖感を生みだす

2017年の民間旅客機の搭乗者数は40億人以上だったが、死者はゼロ。2019年は死者287人だった。

カチャッ カチャッ

世界では1日に3560人が車の事故で亡くなっている。満席状態のジャンボジェット機なら7機分の人数。年間にすれば130万人だ。

原子力発電恐怖症の対処法は2つ

① 原子力発電所にさよならする方法。これで怖い思いをせずにすむ。

私が子どもだった1970年代ごろの、環境保護主義者のいとこたちを思いだすな。すごくいい人たちで、中古のワーゲンバスに乗ってたんだ

② もっと時間がかかるし、複雑で面倒だけど、原子力発電の利点とリスクをみんなに知ってもらう、という方法もある。

ATOMKRAFT? NEIN DANKE

いとこはドイツ人

はっは

なんて書いてあるの？このステッカー

「原子力？」おことわりだよ

供給するエネルギー量に比べて、使用する材料がずっと少ないため、廃棄物が少なくなる

化石燃料に比べて、外国への依存度が低くなる

CO_2の排出量がほぼゼロ

地下鉄

微風のため本日運休

私の手術は？

調整可能な発電である（だから、こんなことにはならない）

風を待っているところです

けっこうです

OIL

GAS

原子力、ナイン ダンケいらないよ

地球温暖化、生物多様性の喪失、海洋の酸性化、大量の難民発生、疫病森林破壊、大火事、沿岸部の水没、戦争…

そういうのこそ遠慮したいな

高レベル放射性廃棄物（ガラス固化体）とは、放射性廃液をガラス原料と溶かし合わせてステンレス容器の中で固めたものだ

1.3 m

容器は特別な貯蔵庫で保管される

冷えるまでには90年かかる

これをどうするんだい？

埋められるのかな？周辺の土壌を汚染したりはしない？

オクロって聞いたことない？

ガボン共和国のオクロ鉱床には、天然の原子炉跡がある

水の浸透

20億年前にウランが自然に濃縮されたんだ

水に触れたことで、その水が減速材となり、核分裂が連鎖し、放射性廃棄物が生じた。ちょうど現代の原子炉のようにね。その廃棄物は岩に閉じこめられたままだ。自然環境に広がってはいない

放射性廃棄物は、安定した地層に閉じこめられると動きを止める。悪魔のびっくり箱みたいに、きみの前に飛びだしたりはしないよ

うわっ！

使用済み核燃料の最終処分場として、フランス北東部のビュール村では、トンネルが建設中だ。オクロの人工版だね

放射線が地下水脈に達することはないの？

地下水脈があるのは地表からだいたい5〜100m
ぐらいの所だ

重力が
働いているから、
汚染物質は
かならず上から
やってくる。
下からは
来ない

硝酸・亜硝酸性窒素、
残留農薬、
産業活動による
汚染物質などは、
この辺りに見られる

400m

コンクリートで遮蔽
した上で1mの土が
あれば、
放射線は止まる。
ほんのわずかであれ、
人工放射能が地上へと
影響を及ぼす
可能性はない…

放射性廃棄物 ← コンクリート

…そこに火山が出現したり
しないかぎりはね

で、その可能性は…めちゃくちゃ
低い

ウランは後どれくらい
残ってるの？

わかっているだけでも、
今ある原子力発電所を
ざっと100年ぐらいは稼働させられる。
まだ発見されていないものもあわせたら、
もっといけるね

だけど、持続的な形で、
すべての石炭火力発電所を
原子力発電所へと換えるには
足りない

そんなことないよ。
今あるウランは、
もっとずっと
効率的に
利用できるからね

また出たぞ、この笑み。
とことんビビらせるつもりだな…

ほら、やっぱり！
将来の見通しは
まっくらじゃないか！

次世代原子炉の
話に移ろう

増殖炉（ぞうしょく）のことだ

これは、核燃料にならない
ウラン238に中性子を
吸収させることで、
核燃料となるプルトニウムを
作れる原子炉なんだ

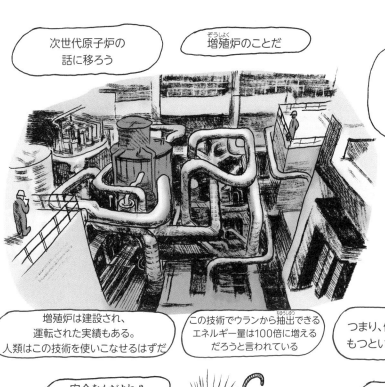

中性子

ウラン238

前にもやった
からね。かんたん、
かんたん

増殖炉は建設され、
運転された実績もある。
人類はこの技術を使いこなせるはずだ

この技術でウランから抽出できる（ちゅうしゅつ）
エネルギー量は100倍に増える
だろうと言われている

つまり、何千年も
もつということさ

放射性廃棄物
だって減る

安全なんだよね？

大丈夫？

日常
生活
って
怖い（こわ）と
感じる？

？

フランスでは、日常生活における
事故で毎年2万人が死亡している

熱湯

ヘアドライヤー

甘いデザートは？
恐ろしいって感じる？

？

糖分や脂肪分の摂り（と）すぎで、
毎年何十万人もの人が
死亡している

車の運転は怖いかい？

そりゃあ、まあね——フランスの場合、
2019年には3239人が死亡してるしね

事故や病気で毎年たくさんの人が
死んでいる。でも世論調査によると、
人々は放射性廃棄物の方が
怖いと思っている。
1人の死亡者も出ていないのに

増殖炉であろうとなかろうと、原子力は石炭のライバルなんだ。
世界では毎年、石炭が原因で、フランスの地方都市ひとつ分の人口に相当する数の死亡者が出ている。
炭鉱で働いている人や以前に働いていた人たちだ

それだけじゃない。
粒子状物質ってものも人体に
よくない影響をもたらす

冬にはフランスは高気圧に覆われる。
で、北東の風に乗って、ドイツやポーランドの石炭火力発電所から出た
微粒子が国内の広い範囲に運ばれる

ケホッ

現代の技術は、どんなものでも
死をもたらす。原子力発電は、
そのなかでも死者数がもっとも少ない。
信じられないかもしれないけれど、
自宅の裏庭のプールでおぼれ死ぬ
人の方が多いんだ

その統計にもとづくなら、
子どもを原子力発電所
見学に連れていく方が
安全ってことだよね

だったら、政治家はどうして
原子力発電を減らすことに
一生懸命なんだろう？

理解不足から
人びとは過剰に恐れている。
政治家はそこにつけこむわけさ

つまり、“先導”じゃなくて“扇動”を
選んでるってことになるね

有権者に
取り入るために
短絡的な思考を
優先させて
しまうのさ

原子力発電を50%
削減しなくてはなりません！

よっしゃ～！　これで
環境保護主義者の票はいただきだ！

まるで国民の大多数が、魔女を火あぶりにすることがみんなのためだと思い込んでいるみたいだ。
政治家はそうじゃないことに薄々気づいているけど、それでも時々不安をあおって炎上に持ちこむ

犯罪的な無責任だよ！

知らぬが仏ということさ

燃やせ！

火あぶりだ！

炎上だ！

原子力推進派を燃やせ！

火あぶりだ！

つまり、
原子力発電の利点と欠点についての
情報は簡単に手に入るけど、
それに気づかないふりをする方が
楽だってことさ

環境保護のために
原子力反対の立場で名声を得てしまうと、
主張を変えるのはむずかしくなる

ジャン＝マルクとは
同意見なんだ

原子力発電の
こと以外では

心の奥底では、
ジャン＝マルクの原子力発電についての
考え方も、まちがってないのかもしれない、
と思っていても…

お前、頭、だいじょうぶか？

私はそもそもが
反原発主義者だからね。
反対しなくなったら、
私じゃなくなるじゃないか！

支持基盤を
失いかねないからね

反対！

原子力？
遠慮しとくよ！

原子力は
必要ない

いりません！

反対！

反対！

反対！

いらないって

原子力はお断り！

153

154

 tags の代わりに speech bubble text...

ですが、政府はもう直接介入できないんですよ！

なんだって!?

そう、電力だってだれもが自由に売買できるものでなくてはならない

それがヨーロッパ流だ

えっ、ちょっと待ってよ！それって、むしろいいことじゃない？

EDF（旧フランス電力公社、現フランス電力）って、国有企業で、かつてはフランス国内の発電と電力供給を一手に引きうけていた

事業は順調で、CO$_2$の排出量もそれほど多くなく、費用もそこまでかからなかった。ド・ゴール派の政治家が計画し、全国抵抗評議会の政治家たちが進めてきた政策だったんだ。

ヨーロッパの技術官僚

ちょっと！

まったく…

これって、独占ですよ！

まちがってる！

競争が必要です

ヨーロッパの技術官僚

これはいかん！

これからは独立した会社になるのだ

ダムも！

これもです！

まだまだ手ぬるい！

残りの発電所で作られた電力についても、今後はすべて販売禁止だ

そちらの競合相手も、我々が見つけますからね

155

じゃあ、どうすればいい？

2つに1つ、じゃないかな。

自然の力に頼る社会――
つまり風や太陽や雨を利用できる時だけ、
食事や必要な活動ができる
社会に戻るか…

それとも、調整可能で再生可能な
エネルギーとして原子力発電を
維持していくか

いずれ風力や太陽光を調整可能な
発電に利用できるようになれば、
原子力発電と置き換えること
だってできる

バッテリー

地球上には80億の人が暮らしてるんだよ。
そんな社会に戻って平和に暮らしていける？

ただし、
蓄電池による補助は必要だろうけど

今日の世界において、あらゆる電源を合わせた
発電設備容量は、およそ7000ギガワット

現在使われている電力貯蔵装置容量は160ギガワット、
その99％が揚水発電の
ダムによるものだ

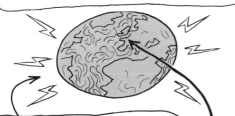

地球のリチウム（最高水準の蓄電池用金属）の
推定埋蔵量のすべてを利用すれば、世界で
発電される1週間分の電気を蓄えられる
ようになる（時間と共に容量は低下するけれど）

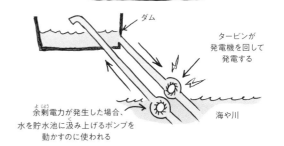

ダム

タービンが
発電機を回して
発電する

余剰電力が発生した場合、
水を貯水池に汲み上げるポンプを
動かすのに使われる

海や川

フランスで、風力と太陽光だけで発電を行なった場合、
1世帯（平均で約60㎡に2.2人）当たり2.5トンの蓄電池が
必要になり、稼働年数10年でざっと800万円かかる

こうした技術による合計貯蔵容量は、
世界の発電能力のおよそ2％にすぎない

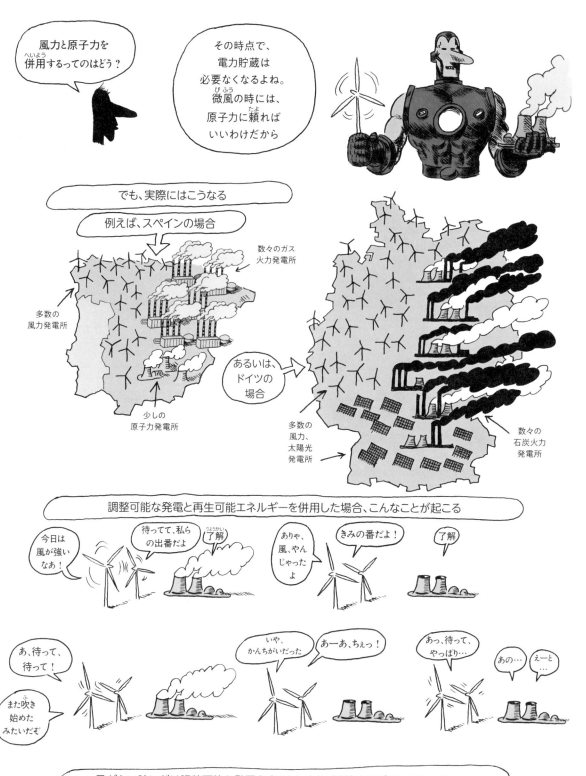

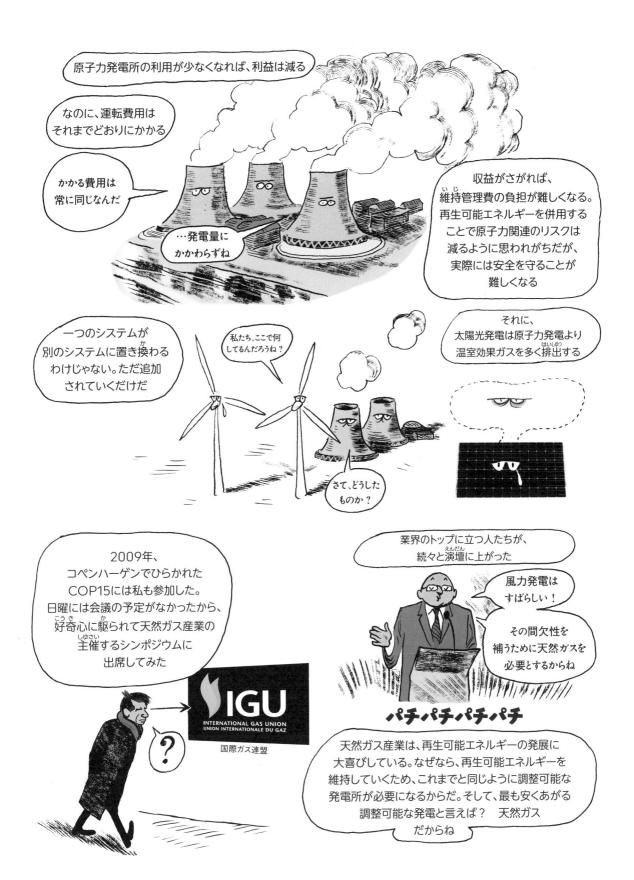

原子力発電所の利用が少なくなれば、利益は減る

なのに、運転費用はそれまでどおりにかかる

かかる費用は常に同じなんだ

…発電量にかかわらずね

収益がさがれば、維持管理費の負担が難しくなる。再生可能エネルギーを併用することで原子力関連のリスクは減るように思われがちだが、実際には安全を守ることが難しくなる

一つのシステムが別のシステムに置き換わるわけじゃない。ただ追加されていくだけだ

私たち、ここで何してるんだろうね？

それに、太陽光発電は原子力発電より温室効果ガスを多く排出する

さて、どうしたものか？

2009年、コペンハーゲンでひらかれたCOP15には私も参加した。日曜には会議の予定がなかったから、好奇心に駆られて天然ガス産業の主催するシンポジウムに出席してみた

？

IGU
INTERNATIONAL GAS UNION
UNION INTERNATIONALE DU GAZ
国際ガス連盟

業界のトップに立つ人たちが、続々と演壇に上がった

風力発電はすばらしい！

その間欠性を補うために天然ガスを必要とするからね

パチパチパチパチ

天然ガス産業は、再生可能エネルギーの発展に大喜びしている。なぜなら、再生可能エネルギーを維持していくため、これまでと同じように調整可能な発電所が必要になるからだ。そして、最も安くあがる調整可能な発電と言えば？　天然ガスだからね

そもそも、この新しい取り組みにも誤解がある。"再生可能"であることは、欠点がないわけじゃないってことに気づかないとね

太陽光発電では、広大な土地にパネルが敷きつめられることになる
（フランスでは、森林や農地をつぶして太陽光パネルを設置する計画がいくつもある。その総面積はパリ市の3倍にもなる）。

水力発電によって、かなり広い地域に洪水がもたらされることもあるし、水辺の生態系だって破壊される。

風力発電には広い空間が必要だし、農業用土壌の質を低下させ、鳥類やコウモリなどの生命の生存を脅かす。

風力発電や太陽光発電のための設備を作るには、多くの金属が使われる。

バイオマスも利用できるけど、それだって生態系を犠牲にしている
（19世紀半ばに石炭の登場で薪が使われなくなり、森林が守られたことを思い出してほしい）。

悪いね、生物多様性くん！

温室効果ガスは大目に見てよ！

フランスの環境省には、絶滅危惧種に影響を及ぼす可能性のある風力、太陽光発電プロジェクトの評価を任された、科学者による委員会がある

委員会はほとんどの場合、それらのプロジェクトの実施に関して同じ評価を下している

再生可能エネルギーが、生物多様性を犠牲にして発展するなどもってのほかです

推奨できません

この委員会のメンバーが、原子力推進派による陰謀の片棒をかついでいると考えるのにはムリがある。環境省は、ごく最近まで原子力発電に大反対していたからね

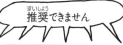

80億の人間と、その人間が使うエネルギーを念頭に置いて…

どれを選んでも完璧じゃないけど、どれか選ばなくちゃ

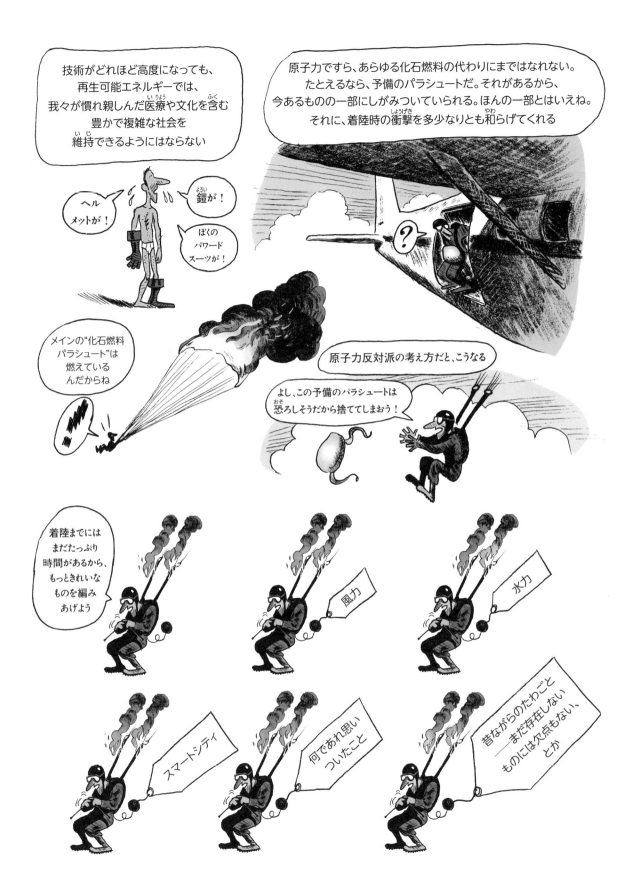

技術がどれほど高度になっても、再生可能エネルギーでは、我々が慣れ親しんだ医療や文化を含む豊かで複雑な社会を維持できるようにはならない

原子力ですら、あらゆる化石燃料の代わりにまではなれない。たとえるなら、予備のパラシュートだ。それがあるから、今あるものの一部にしがみついていられる。ほんの一部とはいえね。それに、着陸時の衝撃を多少なりとも和らげてくれる

ヘルメットが！

鎧が！

ぼくのパワードスーツが！

メインの"化石燃料パラシュート"は燃えているんだからね

原子力反対派の考え方だと、こうなる

よし、この予備のパラシュートは恐ろしそうだから捨ててしまおう！

着陸までにはまだたっぷり時間があるから、もっときれいなものを編みあげよう

風力

水力

スマートシティ

何であれ思いついたこと

昔ながらのたわごと——まだ存在しないものには欠点もないとか

LA CULPABILITÉ

罪悪感

ぼくはどうすれば
いいんだ？

やるべきことって？

何をするべき？

どうする？

母なる自然よ！

お助けを!!

ジャンコヴィシを知っていますか？

機械の
従者が1人当たり
200体で…

エネルギーの
豊かさが！

アイアンマンが！

パラシュートが！

あなたを
救いたいんです

でも
その方法が
わからない

私を救いたいのなら、まず自分たちを救うこと

どうやらぼくは化石燃料を
使いすぎたみたいです

私の化石燃料を
使ったことを
責めはしない

だって、
かなり便利だったでしょ？

その通り

当時は、
理にかなった
選択（せんたく）だった

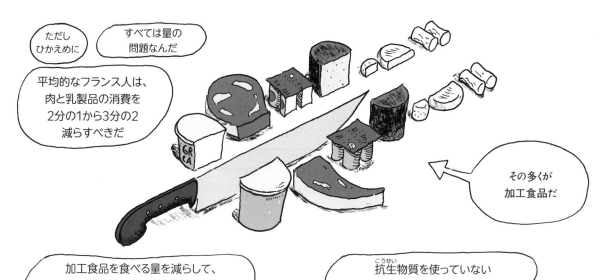

ただし
ひかえめに

すべては量の
問題なんだ

平均的なフランス人は、
肉と乳製品の消費を
2分の1から3分の2
減らすべきだ

その多くが
加工食品だ

加工食品を食べる量を減らして、
高品質の食品をほどよく
食べるのがいいと思うよ

抗生物質を使っていない
牛ヒレ肉

農産物の
品質保証を
受けたチーズ

良い環境のもと、
無農薬の牧草で
育った牛

この200年の間に、
食品の価格が30分の1に
下がっていることを
思い出してほしい。

同じ予算なら、
いいものを少なめに

食品が2種類に
分かれてるわけじゃない…

気候の問題は、量がカギを
にぎっている

好きなだけ
食べられる
"クリーン"な
食品と…

…何がなんでも
食べてはいけない
食品とに

解決するにも、
量がカギになる

でも、肉や乳製品の消費量が減るのは、農家にとってはうれしくないよ

 1人1人ができることには限界がある

それから先は、社会のしくみの話だ

クリーンなものを食べるのはいいとして…

私たちはどうなるの？

家畜の頭数は減っているのに、生産方法の規制は厳しくなる一方だ

社会は農家に、牛1頭当たりに応じた所得の増加を保証する必要がある

フランスはすでに"AOC"という農産物の品質保証制度でこれを行なっている。農家は基準を満たすこととひきかえに、高い収入を得る

昔の家畜とは違うんだ！

いい話だとは思うけど、ローンを組んだばかりでね

生産量を増やさせてもらうよ！

1つの案として

地域が借金を肩代わりするかわりに…

…有機農業の条件を満たしているかを検証して、合格だったら、すぐに有機農業への転換を求める。

有機農業を進めなくちゃ

それも1つのブランドになるよね

ただ、問題もないわけじゃなくて…

生け垣で囲ったり、木を植えたりする費用が発生する。

例えば集約農業によって、ノルマンディーでは森林地帯や良質な土壌に欠かせない生態系が破壊されている。

肥えた土壌のためにミミズを何匹残しておくべきか、決まってるわけじゃないし…

肥えた土壌

"有機農業"は、土が元気でなくちゃ始まらない

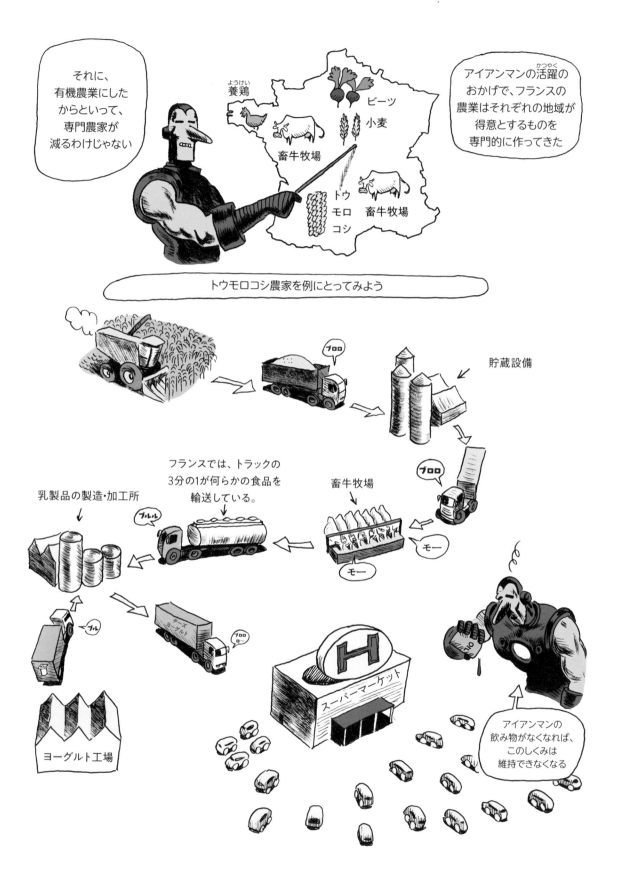

こうした変化で損を
してしまう人もいるよね

牛肉製品の消費が減り、
地元のものが増えて、
加工されたものが減れば…

輸送業者や…

包装材業者や…

加工産業の一部は…

さらには流通の一部も…

売上が減る

だけど、世の中のしくみを変えて、環境に
よくないことを少しずつ減らしていくために、
今こそ社会が一歩を踏みだす時じゃないかな

その一方で若い人たちには、新たに他の分野に
挑戦するための訓練が必要になる

現役を
引退する
人もいる
かもしれ
ない…

周囲の店や地域が
支える地元の農業、
そして農家の所得が
保証されることで、
動きが広がっていく。

先を読まなければならない

ポリポリ

いつまでも先のばしにしていると、
今に痛い目にあうぞ

他にもできることは山ほどあって、
なかなか手ごわいぞ。
まあ、今にわかるよ！

ドドドンッ
BROOLOM

わぁ！

ああ、もうっ

気分は
よくなった？

えっと

道を見失った…
気がする

そうでも
ないわよ

車で旅をする計画だって？
替わりに列車で行くことを検討してみよう…

飛行機が使えないんじゃ、遠くに行くことは
あきらめるしかないよな

長距離を移動するとなると、飛行機がベストだけど

出張って、どうしても行かないとだめってものは、
じつはあまりない

航空機を利用して移動しているのは、全人口の5%にあたる人たち。
その人たちはひんぱんに飛行機を利用している

遠くへ行くことは、風景が変化すること。少なくとも、民間航空機の
運航が始まったばかりのころにはそういう意味を持っていた

今や旅のほとんどは、
都市から都市への移動でしかない

しかも、グローバル化が進んで、都市はどこでも似たような
ものになってきている。風景の変化なんて、どこへやら

現在の空の旅では、むかしのような景色の変化という意味合いは
うすくなった。旅というより移動だ。おまけにどこに行っても
かわりばえのしない景色を見ることになるんじゃ…

1991年:旅客数10億人

2017年:旅客数40億人

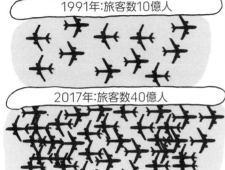

水素
航空機って
作れるの？

すでにある。アリアン・ロケットだ

乗員数
4名か5名

燃料タンク

はい、はい！

わかったよ

175

*『イン・マイ・カー』ザ・ビーチ・ボーイズの歌。

家族連れで、荷物が山ほどあったら？

そんな時は手荷物配達サービス！

目的地に着いてから軽自動車を借りてもいい。一年を通じて車を所有するより、安くすむ

ハイウェイは、私の家♪

毎日の生活に車が欠かせないとしても、たいていは大型車やガソリン車でなくてもいい

ちょっとした工夫で、たいていの問題は解決できる

何より大事なのは、心の平安を保つこと

さあ、みんなペダルをふんで、こぐんだ！

休暇(きゅうか)で道路を走行する車の平均乗員数は、2.8人

ふむ

日常的な乗員数になるともっと少なくて、1.1人

通勤で車を使う時には、1人だから

この問題では、1人1人の判断が変化を生みだす

在宅勤務

相乗り

自転車
（電動化が進んでいる）

バス

列車

利用できる人ばかりじゃないよ！

そう、こうした交通手段をどう組み合わせるかは、その人が住んでいる地域の交通事情による。だれもが明日の朝から車に乗るのをあきらめなきゃいけないわけじゃない。変化の受け入れやすさは人それぞれだ。

公共交通機関が整っていない農村地域だと、
一番効率的でシンプルで安あがりな
低炭素の選択肢は、
小型電気自動車だ

ブブブ〜

電気自動車って、ほんとに環境に
優しい？　バッテリーを使ってるのに？

この場合はそうだ。
小型車であれば

1kmあたりで排出される
CO₂は70g

1kmあたりで排出される
CO₂は160g

1kmあたりで排出される
CO₂は140g

電気　　　　　ガソリン　　　　大型電気SUV

それぞれを使用した時のCO₂の排出量を、
フランスの発電構成を踏まえて計算したものだ

発電に要するCO₂の排出量がさらに多い国（例えばドイツ）だと、こんな感じになる

1kmあたりで排出されるCO₂は250g

1kmあたりで排出されるCO₂は250g

自家用車　　　　　　　　　大型電気SUV

目標はCO₂の排出量を
減らすこと。
小型電気自動車を使えば
少なくとも半分にはできる。

人口が密集した都市の場合

一番いいのは歩くことだ。新型コロナ
ウイルスのパンデミック以降、
歩く人が増えている。

都会では、車がなくても
暮らしやすい

自転車も

← バスや地下鉄…

電動自転車は、車に取って代わる
超効率的な解決策だ。
おまけに運動にもなるから健康的だしね。

ハハハ

たしかにバッテリーは使うけど、
環境には圧倒的にやさしい
（だってCO₂の排出量が車の100分の1だもの）。

可能性は無限だ

これに電動バスを組み合わせれば、
とても快適で住みよい都市になるね

ヒュー

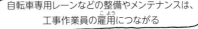

自転車専用レーンなどの整備やメンテナンスは、
工事作業員の雇用につながる

自転車タクシー
（輪タク）は、まずまずの
かせぎになる

自転車の販売や
修理をする店に
関心が集まる。
これは新しい
ビジネスチャンスに
なるかも…

駐輪場が造られる
（使われなくなった施設を再利用したり、
新しく建設したり）

そこで、都市にも身体を動かす仕事が増える。
それって楽しいことじゃないかな

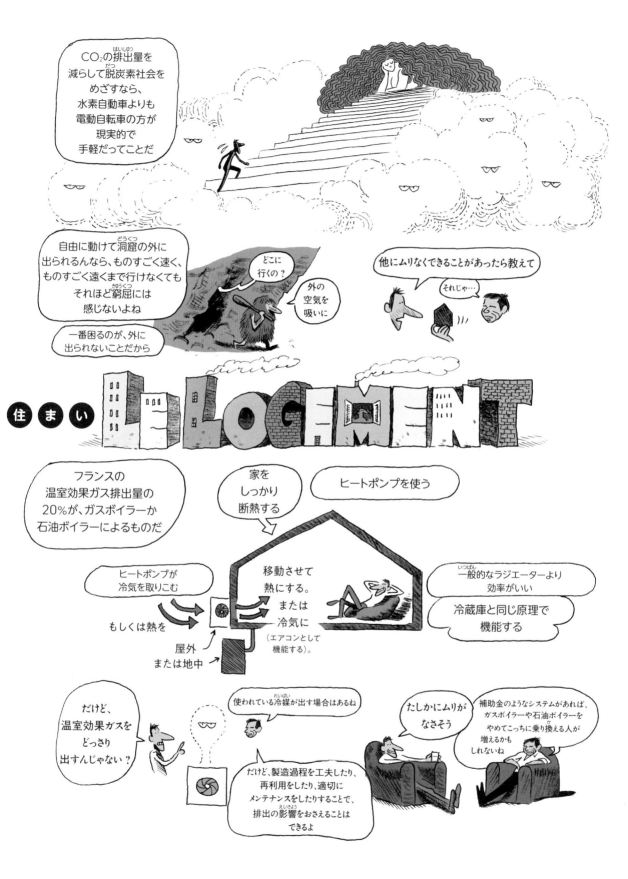

環境に配慮するなら、フランスでは原子力発電を20%増やすべきだ、という考え方がある

温めろ！

でなければ、もっと効率のいい電気器具を使って今以上に節電をする。両方とも必要だ、という人もいる

例えば

暗くて見えないよ

あるいは省エネタイプの照明を使う

おっ、熱くもないぞ！

そう、やり方はわかっている。それだけでも7〜10％の節電になる

電気の消費量をムリなく減らす方法は実はいくつもある。選ぶべき道は、原子力発電の活用と消費を減らすこととのバランスにある。しかも、CO₂の排出量を減らしながら、みんなが働ける場所を作ることもできる

発電所を国内に建設し、ヒートポンプを国内で製造し、どちらも国内でメンテナンスをすることにすれば、天然ガスと石油の輸入を減らすことができて、しかも雇用を生み出すことにもなる

昔は…

重油
FIOUL

←巻きタバコ

今は…

←水蒸気

電子タバコ

←無

でもさ…住居や交通手段を改善してCO₂排出量を減らせそうだってことになったら、原子力って、ただの予備のパラシュートじゃないね

とっておきの予備のパラシュートだよ

環境を守るための変化がゆるやかになるしね

これまで通り、あれこれ心配しないで好きな所に行くこともできるし

もう一つあるけど、実現するのはかなり難しい…土地の管理についてだ

大規模小売店の集まる郊外型ショッピングエリアを考えてみよう

省エネを目指す世の中で、すぐに捨ててしまうモノを買いに、みんなが車で集まってくるような場所が必要だろうか？

ある程度残すか、それともすべてなくすか？

＊都市、社会、経済の持続的な発展をうながすことを目的として、2016年に創設された都市を郊外に拡大させる計画。
正式名称は「メトロポール・デュ・グラン・パリ」。

＊製品の寿命を人為的に短縮するしくみを製造段階で組み込んだり、短期間に新製品を市場に投入すること。旧製品が陳腐化するように計画し、新製品の購買意欲を上げるマーケティングの手法。

快適な生活環境にはない
国の人たちに、
あれこれがまんしてほしいとは
言いにくいよね

我々にできるのは、
模範を示すこと
だけだね

我々が
変わらなければ、
他の国の人たちだって
変わりようがない

人口過剰の
問題と同じだね

125ページでも言ったけど、
これが何より悩ましくてね

インドネシアやスーダンのような
植民地にされていた歴史が
ある国の人たちに「我慢した方が
いい」なんて言ったら、
「またしても植民地に
する気か」と思われちゃい
そうだよ

我々よりも生活環境が整っていなくても、それはその国の人たちが我々より劣っているってことじゃない。
おまけに人口も多いし、今後さらに増えるだろう。我々にできるのは、そういう国々が次の3つを
推進できるよう、協力することだ

①女性の教育
（女性が自分の将来を
自分で決められるようになれば、
出産回数も今よりは減る）

②バースコントロール
を普及させること

③社会保障制度を整えること
（年金を受け取ることで、高齢者が子ども
たちに頼らなくてすむようになる）

もちろん、3つともすでに進行中だけど…すぐに結果が
出るわけじゃないからね

ここでも、
みんな線条体に
関係してる、
とか言わない
でよ

言うよ

だって線条体は、
もうたくさん！

これ以上線条体って
言わないで！

そもそも線条体って
何さ?!

CHROOF

ポワ～ン

だ…だ、だれ?!

セバスチャン・
ボーラーだ

今、
3回続けて
"線条体"
って
言ったよね。
だから私が
現れたんだ

セバスチャン・
ボーラー

エコール・
ポリテクニーク卒

随筆家

分子生物学博士

ジャーナリスト

神経科学専門家

著書は『Le Bug humain
（ヒューマン・バグ）』と
『Où est le sens?
（感覚はどこに?）』

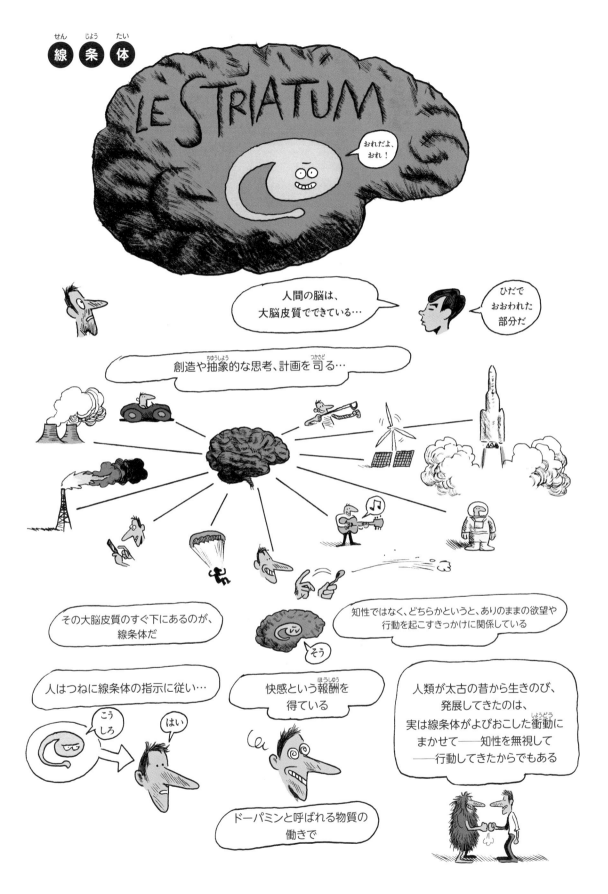

こうした行為の1つめが、
食べること

食べ物が用意できたら、
すぐに食べなければならない

食べ残しをしまっておく
冷蔵庫はないから

それに、肉食動物や
ライバルたちがうろついている

この先、ここまで立派なマンモスに
であえるかどうか、わかんないだろ？

ためらいなく
かぶりつく者こそ生き残れる

もう充分だろ？

食べ物に対する欲求は、
自制するようにできていない

…線条体が与えてくれる
ドーパミンの量も増える

食べる量が増えるほど…

これは短期的な生き残りの話だ。長期的な生き残りについては、
遺伝子の担当になる。それが第2の行為だ

うま
そう…

ウフフ

エヘヘ

セックスをするたびに、
線条体は報酬として
ドーパミンを与える

ダーウィンの進化論によると、自然淘汰(とうた)の大いなる勝負で勝ち残るカギは、なんとか隣人(りんじん)よりもたくさん、自分のDNAをコピーすること。つまり、よりたくさんセックスをするということだ

くりかえしになるけれど、線条体とその報酬のしくみは自制するようにできていない。むしろ正反対といっていい

線条体がうながす第3の行為は、社会的地位を手に入れること

リーダーになることで、多くのドーパミンを得られる

社会的階層の階段を上がるたびに、線条体は報酬を与える

すべての人生の原則は、エネルギーの消費を最小限におさえつつ、供給を最大化することだ

やらなくてすむ機会があれば、のがさずなまける…

ドーパミィーン

第4の行為は、何もしないこと

最後に大切なこと。人は切実に情報をほしがる…

ふむ　ふむ

ゴクッ

情報を正しく解釈(かいしゃく)することは、生き残りに不可欠だからね

←　解釈が的中したヒト

昔の映画だけど『禁断の惑星』に出てきた、超越した知能を持つ地球外文明みたいに。

〈クレル〉は人類よりはるかに高度な生命体だけど、一夜にして絶滅した

もうおしまいだ

私たちには自滅の道しか残されていない

どんな姿をしていたのですか？

姿かたちに関する記録はいっさい残っていない…

残っているのは、このユニークな形のアーチだけだと思われる。人類が出入口として設計した物体と比べてみるといい

いや、おしまいじゃない

ってことは、大脳皮質の下に、それに対応できるものがあるわけ？

うん、あるよ

脳は、前ぶれもなくおどかされるのが苦手なんだ

どんなもの？

帯状皮質っていう

帯状皮質は、習慣を身につけるように人をかり立てる。

私は1日に3回歯をみがく

ここに、よく来る？

ああ。このあたりのマンモスはうまいから

シャカ
シャカ
シャカ

集団の習わしや儀式…人は社会生活の決まりごとを作る。

それは禁止

よく考えなさい

そのへんにしておけ…

それは違う

それでは、ともに生きていくことにはならぬ

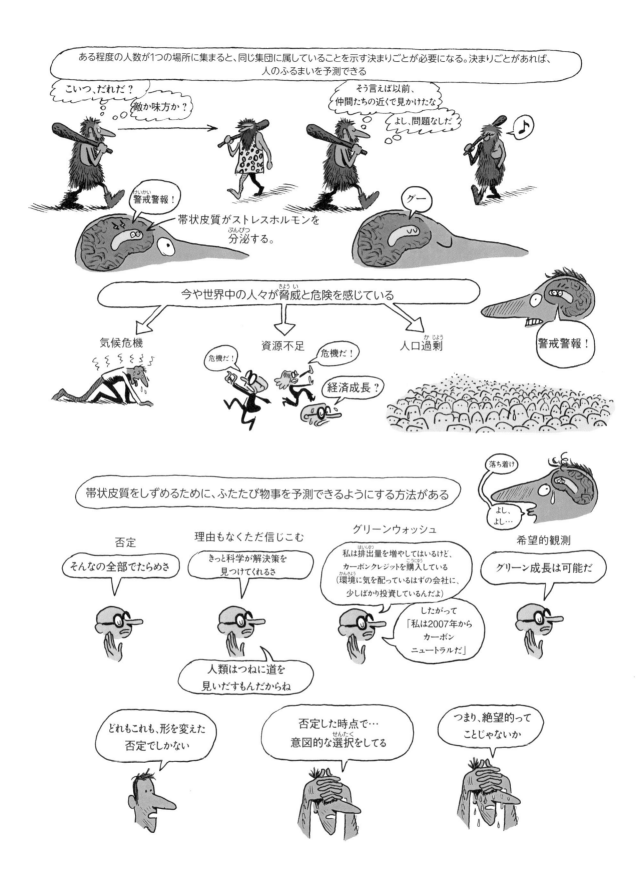

人が利己的になったのは自分が確実に生き残るために、他人の助けが必要不可欠ではなくなったから——あるいは、そう思えたから

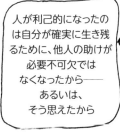

消費者として何でも買えると思っていたら、助け合う必要はない

利己的になるのは簡単だ

技術で安全を確保できないのなら、互いに助け合ってその方法を探していくしかない

逆境に負けない力は、自分の強さだけを頼りにせず、ネットワークを築くことから生まれる

おっ、わかってくれたね

それじゃ！

TCHROUF
ドロン！

セバスチャン？

これまでの社会のあり方が長くもたないことは、もうわかっている

実現の可能性があると信じて、行動を起こさなくては…

いっしょに問題に向き合い、方法と手段について同じ認識を持とう

みんながきみと同じ認識を持つべきだってこと？そしたら救われるの？

共通認識を持つことを"同じページにいる"って言うだろう？

ハハハ！

セバスチャンが言うように、脳は別々の部分に分かれてると思う？

どうかな。だけど、人のふるまいについては基本的に彼の言う通りだと思うよ。日々そういう行動を目にしているからね

ジャン=マルク・ジャンコヴィシ＆クリストフ・ブラン 2021年7月

著者

ジャン゠マルク・ジャンコヴィシ（Jean-Marc Jancovici）

1962年生。エンジニアリング・コンサルタント、エネルギーと気候変動の専門家。エコール・ポリテクニーク卒業。フランス環境エネルギー管理庁（ADEME）で環境問題施策に取り組んだ後、経済学者アラン・グランジャンとコンサルタント会社Carbone 4を設立。エネルギーと気候変動の問題に関する啓発活動を行なっている。

クリストフ・ブラン（Christophe Blain）

1970年生。漫画家。ヨーロッパ最大級のグラフィックノベルの祭典として知られるアングレーム国際漫画祭で最優秀グラフィックノベル賞を2度受賞。著書に『Isaac le Pirate』『Quai d'Orsay』他多数。力強くもユーモア溢れる作風は広く人気を博し、各言語に翻訳されている。

日本語版監訳

古舘恒介（ふるたち・こうすけ）

慶應義塾大学理工学部応用化学科卒。日本石油（現ENEOS）に入社し、リテール販売から石油探鉱まで広範な事業に従事。ライフワークとしてエネルギーと人類社会の関係について研究を続けている。著書に『エネルギーをめぐる旅——文明の歴史と私たちの未来』、訳書にロバート・ブライス『パワー・ハングリー——現実を直視してエネルギー問題を考える』（以上、英治出版）がある。現在はJX石油開発（株）に在籍。

訳者

芹澤恵（せりざわ・めぐみ）

英米文学翻訳家。成蹊大学文学部卒業。主訳書にR・D・ウィングフィールド「フロスト警部」シリーズ、K・ウィルソン『地球の中心までトンネルを掘る』、K・マンスフィールド『キャサリン・マンスフィールド傑作短篇集 不機嫌な女たち』、A・パチェット『密林の夢』、M・シェリー『フランケンシュタイン』、O・ヘンリー『1ドルの価値／賢者の贈り物他21編』、『世界を変えた100人の女の子の物語』、『自分を信じた100人の男の子の物語』、『クレイジーが世界を変えた!! 天才科学者149人列伝』ほか。

高里ひろ（たかさと・ひろ）

英米文学翻訳家。上智大学外国語学部卒業。翻訳学校ユニ・カレッジで学ぶ。主訳書に『世界を変えた100人の女の子の物語』、『自分を信じた100人の男の子の物語』、『世界を舞台に輝く100人の女の子の物語』、ベン・ホアー『うつくしすぎる世界の動物』、『うつくしすぎる自然博物』ほか。

翻訳協力：
池田英子
江尻美由紀
大川直樹
佐藤満里子
佐野恵美子
鈴木彩子
錦 治美

14 歳 の 世 渡 り 術 プ ラ ス
だ れ も 教 え て く れ な か っ た
エネルギー問題と
気候変動の本当の話

2023年11月20日　初版印刷
2023年11月30日　初版発行

著者：ジャン゠マルク・ジャンコヴィシ
　　　クリストフ・ブラン

日本語版監訳：古舘恒介

訳者：芹澤恵
　　　高里ひろ

装丁：渋井史生

発行者：小野寺優

発行所：株式会社河出書房新社
　　　　〒151-0051 東京都渋谷区千駄ヶ谷2-32-2
　　　　電話 03-3404-1201（営業）　03-3404-8611（編集）
　　　　https://www.kawade.co.jp/

組版：株式会社キャップス

印刷・製本：TOPPAN株式会社

Printed in Japan
ISBN978-4-309-25464-7